20년 후,
당신은 했던 일보다
하지 않았던 일로 인해 실망할 것이다.
돛 줄을 풀어라. 안전한 항구를 떠나 항해하라.
당신의 돛에 무역품을 가득 담아라.
탐험하라. 꿈꾸라. 발견하라.
_ 마크 트웨인

부자 마인드

초 판 1쇄 2020년 01월 03일

지은이 정병태
펴낸이 박제언

펴낸곳 한덤북스
유 통 로뎀유통커뮤니케이션
신고번호 제2009-6호
홈페이지 www.jbt100.kr
주소 서울시 영등포구 영등포로 28길 5 B31호
전화 010) 5347-3390
팩스 02) 862-2102

메일 jbt6921@hanmail.net

© 정병태 2020, *Printed in Korea*.

ISBN 979-11-85156-17-0 03320

값 15,000원

읽으면 돈이 되는
부자 마인드

정병태 지음

한덤북스

당신은,

부자의 목표를 달성하기 위해
기꺼이 시간과 노력을 지불하겠다는
의지가 있다면…,

보다 나은 부자의 미래로 가는 지도를
손에 쥐고 싶다면…,

우선 이 책을 읽고, 또 읽어라.
그리고 행동을 취하라.

지금, 거센 변화를 두려워해서는 안 된다.

지식 창조의 거대한 4차 산업혁명이 이미 와 있다. 그야말로 인류를 풍요로운 21세기로 이끌어 갈 것이다. 그러나 한국의 미래전망은 결코 밝지 않다. 고령화, 저성장, 저고용이라는 세 가지 트릴레마(Trillemma)에 빠진 형국이기 때문이다. 냉정하게 말해 한국은 4차 산업혁명 대비에 한발 늦은 후발자다. 그런데 이러한 경제위기에서 벗어나는데, 수월하게 길을 찾을 수 있도록 정병태 교수(Ph.D)가 탁월한 길잡이가 될 통찰적 책을 냈다.

이미 산업 현장에 도래한 4차 산업혁명의 실상에서 창의적인 기업가정신이 토대가 되어야 성공할 수 있다. 이 책은 혁신을 뛰어넘어 창의적 혁명이라는 키워드를 바탕으로 개인과 기업이 더 나은 미래를 준비할 수 있도록 핵심전략을 제안하고 있다.

나는 독자들과 CEO들에게 창의적 혁명과 부의 마인드를 통해 더 나은 미래를 찾아가는 대응전략의 한 방법으로 이 책을 적극 추천한다. 지식 창조를 중시하는 미래사회와 풍요경제를 준비하고자 한다면 반드시 읽어야 할 책이다.

한병성
대한민국 신지식인 경영학 박사(Ph.D)
한성정보기술 주식회사 대표이사
법무부 법사랑위원 서울남부지구 구로협의회 회장
대한상공회의소 구로상공회 수석 부회장

읽으면 돈이 되는

세상에서 가장 멋진 부(富)와 성공의 비결을 나눌 수 있어 해피하다. 지금 세계적 불황과 경기 침체, 경제적 궁핍 속에서 돌파구로 부의 비밀(secret of wealth)을 찾아내어 만든 책이다. 분명 읽으면 돈이 된다.

장담컨대, 이 책을 읽고 그 제안을 받아들여 행동으로 취해준다면 삶에 대단히 멋진 일이 일어나게 될 것이다. 보다 나은 성공과 행복, 부 그리고 노동, 진급, 취업과 창업을 열어주는 행운을 얻게 될 것이다. 그리고 지식 통찰을 통해 남들이 찾지 못한 가치 있는 분야를 찾을 수 있도록 이 책을 만들었다.

스스로 한계를 긋지 않는 이상,
얼마나 높은 곳까지 오를 수 있느냐에 대한
상한선은 없다.

_ 최고경영자 팻 라이언

이 책을 읽고 큰 성취를 이룬 뒤 다른 사람들에게 추천하기를 권한다. 필히 수입과 자산을 늘리고 싶다면, 기발한 창의적 성과를 내고 싶다면, 이 책의 원리들을 읽고 적용해주기 바란다.

일찍이 나는 인문학, 부자학, 미래 경영학을 연구하여 강의하는 것을 즐기었다. 사람들이 강의를 듣고 인생의 방향을 바꾸는 계기로 삼았다. 확실히 말하건대, 가난은 절대 신의 뜻이 아니다. 어쩌면 뜨거운 부자 마인드를 품어 기르지 못했기 때문일 수 있다. 성공한 인생을 살겠다는 강한 꿈을 가져보지 않았을 수도 있다. 부자가 되려는 뜨거운 희망을 품어라. 지금.

지금 우리 함께 두 손을 모으고 기도하자.

내게 부자가 되는 지혜와 마인드를 주시옵소서.

소중하고 값진 사람을 만나게 해주시옵소서.

높은 뜻을 세우되 그 목표를 달성할 수 있는

창의적 사고를 주시옵소서.

그리고 인생에서 가장 가치 있는 것을 깨닫게 해주시고,

무엇보다도 명호가 열리게 해주시옵소서.

세상이 아무리 예측할 수 없는 불안한 시대라 할지라도

큰 지혜와 통찰력을 베풀어주실 줄 믿습니다.

부디 미래를 읽는 능력의 사람이 되게 하시어,

큰 부자의 삶을 누리게 해 주시옵소서.

큰 부자들은 항상 창조적인 사고방식을 유지하려고 노력하는 사람들 편에 있다. 그리고 인간의 가장 위대한 발견은 자신의 내면의 힘을 신뢰하는 데 있다.

앞으로 부(富)의 미래는 더욱 부자의 원리를 알고 창의적 사고와 미래사회를 읽는 데 있다. 그러한 미지의 길을 누구나 발견할 수 있도록 총 10부로 구성해 놓았다.

미래 경영철학에서 가장 중요한 원리는 읽고 인지했으면 행동을 취하는 것이다.

부디 이 책 일독을 권한다. 읽기도 전에 스스로 한계를 긋지 말고, 한 단계씩 목표를 세우고 창의적 부자의 삶으로 바꾸라. 다시 읽고 벌떡 일어나 실천하라. 곧 부자가 돼 있을 것이다.

다시 강조하지만, 이 책을 여러 번 읽는 동안 자신도 모르는 사이에 부의 미래와 트렌드를 읽고 실천함으로써 더 풍성한 결실을 맺게 될 것이다.

나도 끝까지 응원하겠다.

부(富)의 혁명

정말이지 요즘은 하루가 다르게 급변하는 시대이다. 한편으로는 기대감으로 흥분되는 시대이기도 하다. 구글의 최고 경영자인 래리 페이지는 테드 강연에서 이렇게 말했다.

"많은 기업이 실패하는 주된 원인은 미래를 제대로 파악하지 못했기 때문입니다."

예컨대 조지 워싱턴, 무하마드 알리, 세크러테어리엇(미국의 경주마) 등이 공통적으로 지닌 특성이 무엇인지 아는가? 그것은 바로 환경을 뛰어넘는 마인드, 즉 패배는 없다는 사고방식, 그리고 최고 중 최고가 되겠다는 열정이었다.

부의 혁신, 새로운 것을 강력히 추진하는 유일한 방법은 낡은 것을 과감히 폐기하는 것뿐이다. 창의적인 혁신을 할 수 없는 사람은 더 이상 성장할 수가 없다.

성공철학의 아버지라 불리는 나폴리언 힐(Napoleon Hill, 1883~1970)의 책 〈생각하라, 그러면 부자가 되리라〉에서 '인간은 자신이 상상했던 그대로의 인간이 된다'고 말했다. 그는 자수성가한 억만장자인 클레멘스 스톤 회장(W. Clement Stone 1902~2002)을 만나면서, 오늘날의 PMA(Positive Mental Attitude) 프로그램을 완성하게 된다. 그의 성공 비결을 보면 금맥을 발견했다. 바로 부자 마인드를 가진 앤드루 카네기와 클레멘스 스톤 회장을 만난 덕분이었다. 이처럼 부자가 되려면 먼저 성공한 인물들을 많이 만나고 그들과 지속적 관계를 통해 부자들의 마인드를 훔쳐야 한다.

부의 혁명은 모든 경계를 여지없이 무너뜨린다.

들이닥친 4차 산업혁명은 나에게 이 미래의 부자 마인드 책을 집필하는 데 영향을 주었다. 부(富)의 혁명은 마인드로 부를 창출하는 것이다. 1970년대 과감한 실용주의자였던 덩샤오핑(등소평 1904~1997)은 중국인의 가슴 속에 억제되어 있던 욕망을 자극하였다. 사회주의 중국 인민들에게 "부자가 되는 것은 영광스러운 일"이라고 말했다. 부자가 되기 위해서는 먼저 부를 추구하는 마인드가 커야 부자가 될 수 있다고 가르쳤다.

경제학자 조지프 슘페터(1883-1950)는 경제개발에 '창조적인 파괴의 질풍'이 필요하다고 지적했다. 그런가 하면 미래학자 앨빈 토플러(1928-2016)는 '낡고 뒤떨어진 기술과 산업을 폐기하고 새롭고 파괴적인 기술에 길을 열어 주는 변화의 바람이 필요하다.'

결국 창조적인 파괴가 가장 먼저 찢어 버려야 할 것은 어제의 시간표이다.

부디, 백 년에 한 번 올까 말까 한 절대 부의 기회를 잡기 바란다.

정병태 박사(Ph.D MBA)

- 이 책에서 사용되는 용어 안내

- **스마트화**(smart化)는 기존 기기에 센서를 내장해 디지털화하고, 유무선 네트워크 기기로 서로 연결함으로써 복잡한 문제에 실시간으로 대응하는 것이다.

- **게임 체인저**(Game Changer)는 시장의 흐름을 통째로 바꾸거나 판도를 뒤집어 놓을 만한 결정적 역할을 한 사람, 사건, 서비스, 제품 등을 의미한다.

- **코피티션**(Coopetition) 경쟁력은 협력을 뜻하는 cooperation과 경쟁을 뜻하는 competition의 합성어로 협력적 경쟁력을 의미한다.

- **인더스트리 4.0**(industry 4.0)은 제조업과 같은 전통 산업에 IT 시스템을 결합하여 생산 시설들을 네트워크화하고 지능형 생산 시스템을 갖춘 스마트 공장으로 진화하자는 의미이다.

- **그리핑**(Gripping) 기술은 물건의 위치와 형태, 재질 등을 파악할 수 있는 물체 인식 기술과 다양한 형태의 제품을 집어 올릴 수 있는 기술이다.

CONTENTS

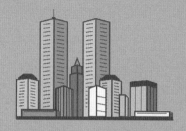

1부

미래의 부(富) 예측하기

미래, 길을 찾다

부(富)의
리딩

눈이 먼 것보다 더 나쁜 것은

앞을 봐도 미래를 보지 못한다는 것이다.

_ 헬렌 켈러

　지금 급격한 물결의 변화, 혁신, 그리고 혁명을 두려워해서는 안 된다. 이미 와 있는 거대한 4차 산업혁명에 맞서 싸워야 한다. 각 시대마다 패러다임을 이끌어 온 인간들은 꾸준한 변화의 역사가이자 혁명가들이다.

세계 인구는 계속하여 증가할 전망이다.

자원 부족은 세계적인 난제다.

지구 온난화는 전 세계에 영향을 미친다.

글로벌 지식 창조사회는 더욱 가속화된다.

혁신을 창출하려면 미래사회와 트렌드를 읽어야 한다.

앞을 읽는 눈

13세기 페르시아의 가장 위대한 문학가 종교가 시인이자 이야기꾼 사아디의 우화에 나오는 이야기다.

넓은 하늘에 매가 바람을 가르며 자유롭게 유유히 날고 있었다. 그러자 그 옆 나뭇가지에 꼼짝없이 앉아 있던 독수리가 핀잔을 주었다.

"가만히 좀 있게. 그리 쉴 새 없이 움직이면 언제 땅 아래를 볼 수 있겠나?"

매도 질세라 "무슨 소리! 자네만큼 내 눈도 예리하단 말일세. 저 멀리 산과 바다가 보이는군."

그러자 독수리가 코웃음을 치며 말했다.

"아무리 그래도 내 밝은 눈을 따라오지는 못하겠지. 난 저 아래 골목에서 잠을 자고 있는 고양이의 수염이 세 가닥인 것도 보인단 말이지."

과연 독수리의 말대로 골목 아래에는 세 가닥 수염을 늘어뜨린 고양이가 졸고 있다.

"정말 대단하군!"

매의 찬사에 신이 난 독수리는 주위를 휘휘 둘러보더니 이렇게 말했다.

"저 아래 농장 보이나? 자네는 안 보이겠지만 그 안에는 탁자가 하나 있다네. 그리고 탁자 위에는 밀 이삭이 놓여있군. 내가 가서 저 밀을 물어 올 테니 잘 보게!"

매가 말릴 틈도 없이 독수리는 농장으로 쏜살같이 내려갔다. 그런데 밀 이삭을 입에 문 순간 철커덕 하며 올가미에 걸리고 말았다. 독수리는 빠져나가려고 발버둥 쳤지만 올가미는 더욱 옥죌 뿐이었다.

그 모습을 바라보던 매는 다시 하늘로 솟구쳐 올랐다. 그러곤 중얼거렸다.

"모든 새 중에 가장 밝은 눈을 가졌다지만 올가미를 보지 못한다면 그 눈이 무슨 소용이란 말인가?"

큰 가르침을 주는 이야기이다. 자신에게 거대한 능력이 있다고 착각하여 정작 미래에 나아갈 방향을 제대로 인지하지 못한다면…, 우리는 직면한 불확실성과 트렌드를 예측하여 읽어야만 생존전략을 세워 미래에 대응할 수 있다.

현실이 혼란스럽거나 앞날이 불확실할 때는 역사를 돌아보면서 시대를 관통하는 정신을 찾아낼 필요가 있다. 특히 세계 역사를 통해 변방의 작은 나라 대한민국이 세계사의 도도한 흐름 한가운데 있었던 적도 있었다. 또한 위기가 없던 시기는 없었다. 지금 최고의 경제위기라 하지만 우리의 저력과 굳건한 정신으로 극복할 수 있다. 우리에겐 뜨거운 창의적 사고가 있지 않은가? 새로운 것을 배우려는 무서운 학습열과 지식욕으로 가득 차 있다. 그리고 숨겨진 지식 창출의 역동성이 있지 않은가.

손 끝으로 읽는 세상

철학자 이마누엘 칸트(1724-1804)는 행복의 원칙에 대해 첫째는 어떤 일을 할 것, 둘째는 어떤 사람을 사랑할 것, 그리고 셋째는 어떤 일에 희망을 가질 것이라고 했다. 즉 가슴에 의미 있는 희망을 품고 나아가는 것이다.

이미 세상은 감성 SNS시대가 도래됐다. 미래는 강력한 상상력으로 가치를 현실화로 이끌어내는 창의력을 가진 사람들의 시대다. 4차 산업혁명 시대에 강력한 힘은 누구나 마음껏 창의적으로 생각할 수 있다는 것이다. 누구든 앞으로 달려가 미래사회를 읽고 소통할 수 있다면 몸값은 천정부지로 치솟을 수 있다. 창의적 비주얼(콘텐츠)과 사고가 지배하게 될 것이다.

이 시대는 그야말로 고객을 '뿅'가게 만들어야 지갑을 열 수 있다. 기발하고 쌈박하며 창의적 생각으로 새로움의 창출이 성공의 비결이다.

창의적 감성으로 세계적 부자가 된 마크 저커버그(Mark Zuckerberg)가 창업한 페이스북 성공요인은 IT에 감성의 "좋아요" 옷을 입혔기 때문이다. 세계인 20억 명 이상이 페이스북의 액티브 유저다. 하루 10억 명 이상이 '좋아요'를 공유한다. 구글의 자율주행차 개발 배경을 보면 운전할 능력이 없는 시각장애인과 노인도 쉽고 안전하게 자율차를 이용토록 하는 비전에서 시작되었다.

손 끝으로 읽는 세상이 도래됐다.

시각장애인들에게도 감성시대를 손 끝으로 읽을 수 있는 세상이다. 우리가 눈으로 세상을 보듯이 손 끝으로 볼 수 있는 편한 세상을 만들어야 한다. 여기 창의적 기발한 아이디어로 **깨 점자 햄버거**를 만들었다. 남아프리카 공화국 윔피(Wimpy) 버거 체인점은 시각 장애인들이 햄버거 속에 무엇이 들어있는지 알 수 있도록 햄버거 빵 위에 깨를 점자로 올려서 손 끝으로 읽으면서 먹을 수 있도록 했다. 이것이 미래를 읽는 창의적 혁명이다.

창의적 기발한 아이디어는 어느 날 갑자기 찾아오는 것이 아니다. 남들이 보지 못하는 것을 읽고 남들이 신경 쓰지 않는 것을 관찰하여 얻어지는 것이다. 부자가 되려면 미래를 보다 현명하게 대비하고 미래사회와 트렌드를 올바르게 읽어야 한다.

윔피 버거의 깨 점자 햄버거

창의적 차별화 전략

지식 창조 경영

> 편한 삶을 소망하지 말고
> 강한 자가 되길 소망하라.
> _ 존 F. 케네디

미래 예측가이기도 한 경영학자 피터 드러커(Peter Drucker, 1909–2005)가 말하기를 "미래를 예측하는 가장 좋은 방법은 미래를 창조하는 것이다"라고 했다.

종종 감동을 준 좋은 책은 매년 다시 꺼내 여러 번 읽는다. 얼마 전 스탠퍼드대의 경영학 교수 짐 콜린스가 쓴 책을 읽다가 "큰 사람이 없는 큰 비전(VISION)은 아무런 쓸모가 없다"는 말에 큰 충격을 받았다. 비전이 큰 것도 중요하지만 큰 사람이 먼저 되어야 큰 비전을 이룰 수가 있기 때문이다. 잡목을 가지고는 큰 집을 지을 수가 없듯이 거목(巨木)이 되어야 큰 집의 소재가 될 수 있다.

미국 하워드 슐츠. 그는 미국의 기업인으로 스타벅스의 회장이다. 1987년 시애틀에 스타벅스 커피점을 오픈한 지 10년 만에 세계 최고의 커피 브랜드로 성장시킨 영웅적 인물이다. 그의 차별화 전략에 끌려 나는 미국 시애틀 1호점을 2번이나 방문하였다. 지금도 70개국에 총 30,000개 이상의 점포를 가진 큰 회사로 성장해 가고 있다. 그의 성공전략은 한 마디로 창의적 차별화 전략(differentiation strategy)이었다. 그는 전 세계인들이 스타벅스 커피점에 들어가는 것을 신분 상승으로 여기게 하자는 지식창조 차별화 전략을 취했기 때문이다.

소위 창의적 차별화 전략이 작은 커피가게 하나를 세계 최고의 커피 브랜드로 성장시킨 것처럼, 세상이 아무리 불경기, 불황이 계속되고, 미래사회를 예측할 수 없는 불안한 시대라 할지라도 지적 역량을 증대시키고 창의적 차별화된 지식경영으로 얼마든지 회생시키어 성공할 수 있다. 그렇기 위해서는 빠르게 변화하는 사회 환경에 따라 가치 탄력성을 강화하고 미래의 새로운 대안을 고려해야 한다.

지식창조의 시각적 사고

정말 놀라운 상상력이며 미래사회를 읽은 초(超)통찰력이다. 중세의 천재 레오나르도 다빈치(1452-1519)가 남긴 원고를 보면, 당시 있지도 않은 비행기, 헬리콥터 그리고 잠수함까지 이미 등장하여 스케치하였다. 그야말로 요즘 혁명적인 기술을 구상했던 것을 알 수 있다. 그런가하면 홍수로 어려움을 겪고 있는 이탈리아 베네치아에 세계 최초로 댐을 만들기도 한다. 다빈치의 그림으로 보면, 자전거, 기관총, 탱크, 포탄, 운하, 태양 에너지, 로봇 기술, 낙하산, 잠수복 심지어 장갑전차, 승강기, 자동차 등 실현되기까지 500-600년이 걸린 미래 발명품들을 그렸다.

레오나르도 다빈치 시각적 사고 스케치

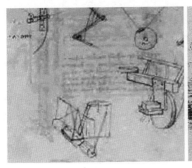

로봇

장갑차

　영국은 1588년에 역대 최강의 해군 스페인 무적함대를 격파하고 아프리카, 인도, 동남아시아까지 식민지를 확대하였다. 당시 영국은 병기산업이 다른 나라들보다 크게 앞섰다. 그런데 약세였던 영국이 최강의 스페인 무적함대를 패배시키고 승리를 쟁취할 수 있었던 이유는 무엇일까? 스페인은 최강의 해군이라는 교만의 집착으로 새로운 혁신의 기회를 놓쳤기 때문이다. 즉 지식창조의 시각적 사고를 구현하려고 하지 않았다.

지식창조의 시각적 사고는 언어적 사고에서 벗어나게 해주며, 시공간 능력은 창의력을 발휘하게 한다. 그래서 캔자스대학교 에반젤리나 크라이시코우 교수는 "혁신적인 아이디어는 형태, 크기, 물리적 구성 같은 사물의 시각적 속성에 주의를 기울일 때 발생한다"고 했다.

미래를 읽는 통찰력

급변하는 시대에 부(富)는 미래의 냄새를 먼저 맡는 사람의 것이다. 책과 강연을 통해 부의 마인드, 부의 미래, 부의 혁명, 부의 노동을 전할 수 있어 참으로 행복하다. 앞으로 전통적인 직업은 사라지고 새로운 직업과 노동이 출현하게 된다. 이미 일어나고 있지만 노동의 미래에는 급격한 변화의 바람이 세차게 불 것이다. 미래사회는 누구나 100세 인생을 살게 된다. 다가올 미래에 대한 예측과 통찰을 통해 더 나은 풍요로운 삶을 살아가도록 이 책이 돕겠다.

이 책을 정독한 후에는 분명 미래예측 발휘에 도움이 되며 통찰력을 키워지게 될 것이다. 이쯤에서 꼭 하고 싶은 말은 미래를 읽으면 부가 따라온다. 성공한 사람들에게 온다는 행운이 붙게 된다. 미래사회를 바르게 읽어야 미래의 산업과 직업, 기술과 문화 그리고 방향과 트렌드를 예측하여 대비할 수 있다. 그리고 돈, 환율, 시장, 산업, 노동의 흐름을 통찰할 수 있다.

우리는 스마트(Smart)가 필수인 사회에 살고 있다. 그래서 변화, 혁신, 혁명이라는 말은 미래의 냄새를 맡지 않고는 불가능하다. 이제 과거, 현재, 그리고 미래까지 연결된 초(超)지식창조로 깊이 들어섰다. 그리고 유감스럽게도, 미래사회를 읽고 자신의 잠재된 재능을 개척하는 사람만이 경제적 부를 얻게 된다. 미래사회는 우리가 느끼고 생각하는 것보다 훨씬 더 빠르게 다가왔고 변신을 요구하고 있다. 그래서 미래예측 능력을 키우지 못하면 도태된다. 일찍이 세계적 미래학자 앨빈 토플러(Alvin Toffler) 박사는 지식기반 사회의 도래를 예견했다. 그런데 그 예측보다 더 빠르게 다가왔다.

미래의 전쟁은 경제 전쟁이다. 그러므로 날마다 멈춰서는 안 되는 것이 미래사회를 읽는 통찰(insight)이다. 둔해지면 부를 누리기가 어렵다. 미래를 읽는 데 탁월해야 하고 스마트해야 한다.

거인의 어깨 위에 올라서기

"세상에 백락(중국 주나라 때 명마를 식별하기로 유명했던 사람)이 있은 후에야 천리마가 있게 된다. 천리마는 항상 있지만 백락은 늘 있지 않다." 이 말은 중국 당나라 때 문호인 한유의 〈잡설〉에 나오는 구절로 일리가 있는 말이다.

스마트한 리더는 "지금이 위기다"라는 누구나 할 수 있는 말을 하지 않는다. 대신 미래를 초예측하여 적의 고지 뒤편에서 벌어지는 일까지 통찰하여 앞으로 전개할 방향과 작전을 세운다. 그게 똑똑한(Smart) 리더의 역할이다.

이미 와 있는 4차 산업혁명 시대는 새로운 비즈니스와 직업이 부상하여 새로운 기회를 창출하고, 각각 개인의 경험을 이용하여 새로운 가치를 창출하고 있다. 그런데 새로운 변화를 수용하지도 않고 스마트하지 않은 많은 리더들은 자신을 거인(巨人)이라고 큰 착각을 하며 큰 문제가 없을 것으로 오판한다.

12세기 영국의 정치 이론가 존 솔즈베리가 한 말이다.
"우리는 거인의 어깨 위에 있는 난쟁이들과 같기 때문에 거인보다 더 많이, 그리고 더 멀리 있는 사물을 볼 수 있다. 그러나 이는 우리 시력이 좋기 때문도 아니고, 우리 신체가 뛰어나기 때문도 아니다. 거인의 거대한 몸집이 우리를 들어 올려 높은 위치에 싣고 있기 때문이다."

여기에서 거인(巨人)이란 선대의 많은 위인들이 쌓아 올린 지식과 지혜를 의미한다. 그러므로 리더들은 자신들이 거인이 아니라는 점을 냉철하게 인식해야 한다. 다만 끊임없는 자기 혁신을 통해 경쟁력을 높여가야 한다. 그래야 더 높은 위치에서 먼 미래의 세상을 내다볼 수 있다.

지금부터라도 꾸준히 장기적인 계획을 세워 노력하고, 자기계발에 집중적으로 투자해야 한다. 그렇지 않으면 설 자리도 없고 퇴보하게 된다. 거인들의 어깨 위에 올라 서서 봐야 더 멀리 미래사회를 내다볼 수 있다. 사실 지금 리더들은 거인의 어깨 위에 올라서기 위해 노력하지 않는다. 하지만 똑똑한 개인과 탄탄대로 성공가도를 달려가는 창의적 조직은 무섭게 지능기술과 지식경영을 학습한다. 그래야 인간과 인공지능(AI)이 힘을 합쳐 새로운 지식을 창조하고 공유할 수 있다.

미래를 읽는 통찰력

책과 신문 속에 부가 있다. 새로운 정보에 좋은 일이 많다.

_ 워렌 버핏 버크셔해서웨이 회장

앞으로 리더는 미래사회를 정확히 예측하여 목표를 세우고 매우 창의적이어야 하며 그것을 아주 쉽게 전달할 수 있어야 한다. 이를테면 "나의 확고한 인생 목표는 이렇다." "우리 회사의 목표는 이것인데, 이를 이루기 위해 우리는 이런 일을 해야 한다."라고 단호하게 설득할 수 있어야 한다.

방향 리딩력

　일본 최고의 스테디셀러 중 하나인 〈일본 제국은 왜 실패하였는가?〉라는 책을 보면, 일본군 실패의 본질을 설명하고 있다. 당시 일본군의 최대 문제점은 작전의 목표가 불분명했다는 것이다. 미드웨이 해전은 진주만 공습으로 태평양 전쟁의 기선을 잡았던 일본 해군이 압도적 전력을 갖추고도 미군에 참패한 전투였다. 실패 요인은 일본군이 작전 목표를 정확히 이해하지 못했고 모두에게 공유하지 않았다는 것이다.

　그렇기 때문에 이 책은, 세운 작전이 성공하기 위해선 목표가 명확해야 하고, 작전에 참가한 모든 군인들이 목표를 공유해야 하며, 이를 통해 각자가 임무를 정확히 인식해야 한다고 설명한다.

　마찬가지로 나아갈 방향과 목표를 이해하지 못해 제대로 얘기하지 못하고 실천력도 없는 리더가 부(富)의 미래를 읽기는 어렵다. 대신 스마트한 리더라면 미래사회와 산업, 부의 흐름이 어떻게 될지를 읽어야 한다. 읽었으면 어디로 갈 것인지, 무엇을 할 것인지, 어떻게 목표를 세울 것인지 등 이기기 위한 작전을 짜야 한다. 그리고 그 확고한 목표를 전 구성원들과 공유해야 하고 공감적 전달력을 갖춰야 한다. 마지막은 행동으로 보여주는 실행력이 필요하다.

이처럼 개인과 조직이 계속 성장하고 번영하기 위해 무엇이 가장 중요할까? 바로 리딩력(力)이다. 리더가 무엇을 보고 꿈꾸고 고민하고 행동하느냐가 미래를 결정하기 때문이다. 앞으로 리더는 미래를 읽는 통찰력을 지녀야 한다.

세상은 빠르게 변하고 있다.

"계획이란 미래에 대한 현재의 결정이다." 이 말은 경영학의 구루 피터 드러커가 남긴 말이다. 미래에 대한 계획이 있기에 현재의 결정이 있는 것이다. 지금 세계는 매우 불확실한 사회다. 세계 여러 곳에서 전쟁을 하고 있고 은행들이 도산하고 기업들이 붕괴되고 있다. 개인들의 파산은 말할 것도 없다. 전 세계 금융과 부동산 시장은 롤러코스터를 탄 상태다. 마치 망망대해 한 가운데에서 나침반마저 고장 난 상황과 같은 세상이다. 좌표가 없이는 한치 앞도 내다볼 수 없는 미래를 향하고 있다.

우리는 이러한 변화와 4차 산업혁명 속에서 미래를 정확히 읽고 일어날 위기에 대비한다. 리더는 거미가 거미줄을 늘어뜨리듯 질문을 뽑아내야 하고, 특유의 의문을 갖고 물음을 제기한다. 기회를 먼저 내다보며 미래를 준비하는 리더가 되어야 한다.

이미 우리의 삶에 도래한 미래사회를 리딩해야 모두가 생존할 수 있기 때문이다.

부(富)를 만드는 법칙

이미 ICT 스마트팩토리(smart factory), 인더스트리 4.0(industry 4.0) 이 순조롭게 정착하여 상호 작용하고 있다. 이는 전통 산업에 IT 시스템을 결합하여 생산 시설들을 네트워크화하고 지능형 생산 시스템을 갖춘 스마트 공장으로 진화하고 있음을 의미한다. 결국 스마트해야 살아남을 수 있으며 판도를 바꾸는 게임 체인저(Game Changer)가 되어야 한다.

부자의 생각

미래학자 앨빈 토플러가 말하기를 "변화란 미래가 우리의 삶에 침입하는 과정이다"라고 했다. 현 부의 1인자 빌 게이츠가 말하기를 "가난하게 태어난 건 당신 잘못이 아니지만, 가난하게 죽는 건 당신 잘못이다." 즉 가난은 무지로 인한 재난이다. 그러므로 부자의 생각을 훔쳐라.

인텔의 공동 창업자인 고든 무어가 찾아낸 무어의 법칙(Moore's Law)에 따르고 있는가?

"부의 미래를 리딩하지 못하고 계속해서 바라보고만 있다면 더 도태된다. 그러나 부의 미래를 리딩하면 성장과 확대가 가능하다." 즉 부의 원리를 적용할 줄 안다면 부자가 된다는 의미이다.

고대 페르시아 키루스 대왕은 젊었을 때 전쟁을 하기도 전에 병사들을 불러놓고는 이렇게 말했다.

"친구들이여, 전투가 가까이 있고 적은 우리를 향해 오고 있습니다. 우리는 승리할 것으로 믿습니다. 그리고 승리한다면 적의 모든 소유는 우리 것이 될 것입니다. 우리는 이미 승리했습니다."

아직 전쟁을 하려면 많은 시간이 남았지만 생각은 이미 이긴 전쟁이었다. 키루스 대왕은 싸우기도 전에 전쟁의 결과를 읽고 전했다.

모든 사람은 평등하게 부의 기회를 갖고 있다. 바로 그 출발점이 부의 생각이다. 이 부의 생각을 제한하지 말고 더 많이, 더 빠르게, 더 똑똑하게 자랄 수 있도록 키워야 한다. 뿌리가 깊어야 쓰러지지 않으며 어떤 극한 환경에서도 자랄 수 있다. 부자가 되고 싶다면 먼저 부자의 생각을 가져야 한다. 부자처럼 생각하고 행동하는 법부터 익혀야 한다.

진화론의 창시자 다윈은 〈종의 기원〉에서 '적자생존'의 의미를 알고 사회에 적용했다. 다 알고 있겠지만, 적자생존(適者生存)이란 생물의 생존 경쟁의 결과, 환경에 적응하는 것만 살아남고 그렇지 못한 것은 죽는 현상을 의미한다. 영어 표현은 'survival of the fittest' 최상급을 썼다. 또 '약육강식(弱肉強食)'으로도 표현한다. 즉 "약자는 강자의 먹이가 된다"는 개념과 같은 의미다. 이는 동물의 세계에서만 존재하는 현상이 아니라 미래 비즈니스사회는 흔한 현상이 될 것이다.

최근 가장 빠르게 억만장자가 된 상위 10명 중에서 7명은 창의적 사고, 인터넷(SNS), 과학기술을 부의 지렛대로 활용했다는 기사를 읽었다. 즉 4차 산업혁명의 흐름을 읽고 빠르게 변화를 가졌다는 의미다. 똑똑한 리더는 모두 새로운 시대가 오기도 전에 미래를 리딩하여 준비했다.

　그렇다면 나는 앞으로, 급격한 변화에 대비하기 위해 무엇을 어떻게 준비하고 있는가?

　창의적 혁신 사회, IT혁명이 우리 삶에 침입했는데, 어떤 전략을 세워 두었는가?

　이 물음에 명쾌하게 답할 수 있어야 한다.

혁명의
화살
쏘기

미래의 트렌드 읽기

돈을 버는 것보다 더 중요한 것은

확실한 목표를 정하고

그것을 성공시키는 일이었다.

_ 철도사업가 코넬리어스 밴더빌트

익숙한 기존 사회에서 미래 사회를 읽고 새롭게 눈뜬다는 것은 그야말로 혁명인 셈이다. 성공한 기업가는 선견지명, 즉 새로운 기술과 시장이 생겨나기도 전에 미리 트렌드를 읽고 거대한 비즈니스 기회로 구상할 수 있는 통찰력을 가진 사람을 의미한다. 4차 산업혁명은 이러한 여러 가지 사회변화 가운데 다양한 요인이 복합적으로 실현된 것이다.

　새로운 혁신을 통한 비즈니스의 성공이나 부의 축적은, 자발적인 혁신가들에게 주어지는 인센티브이다. 혁신을 싫어하는 사람들에게는 새로운 차원의 부의 축적은 절대 있을 수 없다. 새로운 시도가 혁신적인 기업가의 태도이기 때문이다. 혁신은 기존 체제를 창조적으로 파괴한다. 그런 의미에서 변화를 싫어하는 사람들의 필사적인 저항에 직면하게 된다. 그러나 불굴의 정신을 가진 혁신가들이 혁명의 화살을 쏘기에 새로운 시도나 도전이 가능한 것이다. 계속하여 혁명의 화살을 쏴야 한다. 달을 향해 쏴라. 빗나가도 별이라도 맞출 수 있다.

　미래 기술혁명은 더 높은 수준과 새로운 역량을 요구한다. 이는 부의 축적이다. 영국의 기술자 제임스 와트(1736–1819)는 혁신적 시도로, 새로운 기술로 이전에 경험한 적이 없는 세계로 인류를 이끌었다. 산업혁명, 즉 증기기관의 출현으로 인류는 공장제도나 철도를 이용하게 되었다. 동시에 생산력이나 지역이라는 한계의 경계를 단숨에 확대했다. 여기엔 움직이는 자동기계의 발달이 있었기에 가능했다. 즉 기계라는 인조의 힘이 자연계의 한계를 부순 것이다. 혁명의 화살을 쏘았다.

James Watt.

제임스 와트(James Watt, 1736-1819)

「제임스 와트는 인류 역사상 가장 위대한 발명가이다. 증기기관을 만들어 인류의 생활을 크게 바꿔 놓았다.」

영국의 산업혁명은 제임스 와트에 의해 시작된다. 그의 증기기관 발명은 기계화의 작업으로 대량 생산을 가능하게 했다. 와트는 스코틀랜드의 클라이드 강변에 있는 그리녹(Greenock)의 비교적 유복한 가정에서 태어났다. 그는 글래스고(Glasgow) 대학 부속 공장의 기계공이 되었다. 그의 폭 넓은 시야와 열정적인 기질로 증기기관을 출원하게 된다. 그리고 와트는 엄청난 재산을 모았다. 특허권 사용료로도 아주 큰돈을 벌었다. 이는 과학기술로 거부가 될 수 있다는 것을 보여주는 좋은 사례이다.

제임스 와트가 우리에게 전하는 메시지는 우선 쌈박하고 스마트한 아이디어를 가진 후에, 그 창의적 아이디어를 구체화하고 현실화 할 방법을 차근차근 쌓아갔다는 점이다. 훌륭한 기획이나 좋은 아이디어일수록 앞선 구체화 작업이 필요하다. 철저히 인내하며 지속적인 연구와 실험정신 말이다.

미래사회는 더욱 자동화된 산업의 로봇화, AI, 무인시스템, ICT화 과정을 통해, 새로운 일자리 창출, 양적 성장 그리고 창의적 기술 등으로 세상을 바꿀 것이다.

미래 공동체의 특징

에디슨에너지 최고마케팅 책임자 톰 콤스탁은 말하기를 "모든 혁명처럼, 4차 산업혁명 역시 부의 재분배를 가져올 것이다." 디지털화는 효율성과 비용절감 측면에서 엄청난 효과를 불러일으킨다.

그리고 인간은 디지털화의 혜택을 맞이하게 된다. 그러나 나의 절대적 가치를 말하면, 아무리 혁신의 4차 산업혁명일지라도 스마트한 사람을 대체할 수는 없다. 창의적인 이들은 부를 축적하게 될 것이다.

크든 작든 미래의 사람들과 조직은 가슴에 창의적 역동성을 원한다. 이는 혼자서는 불가능하나 함께 융합(convergence)하면 가능하다. 또 융합은 무궁무진한 확장이 가능하다. 한 예로 IT기업 HP와 식품회사 캠벨이 융합하여 성공적인 사례가 있다. 융합은 다른 사람들과의 연대를 통하여 각각 개성을 발휘하고 다양성을 촉진하게 한다. 미래사회는 일방적인 교조주의를 비선호하며 구성원 모두가 함께 무엇을 창조하고 싶어 한다. 다함께 소유하는 공통의 목적에 따라 개인의 자유를 보장하고 공동의 작업에 초점을 맞추어야 한다. 그러한 구성원들은 공동체를 유지하기 위한 여러 기본적인 원칙을 스스로 만든다.

고대 그리스 철학자 아리스토텔레스가 주장했듯 '인간은 사회적 동물이다.' 즉, 개인은 사회적 관계없이는 존재할 수 없기에 끊임없이 타인과의 관계 하에 존재하는 것이다. 개인은 혼자서 생존할 수 없으며 다양한 관계 속에 존재해야 한다. 그 공동체 속에서만이 부의 미래를 확장시켜 나갈 수 있다.

　그 창조(창의성)는 무엇에 얽매어 있거나 틀에 짜맞추어서는 불가능하다. 대신 개인의 자유로움에서 다양성을 발휘할 때 창조의 능력이 일어난다. 그러나 완벽한 고립이나 이기주의적 혼자서는 생존할 수 없으며 싱싱한 창조도 일어나지 않는다. 이미 와 있는 4차 산업사회는 함께하는 공동체를 추구한다. 그래서 상호관계를 무시하거나 고립된 존재는 소멸할 뿐이다. 식물 진화의 원리를 보라, 시간이 지날수록 증가하는 것은 협력하는 세포들이다. 상호관계 속에서만 개인은 존재 의의를 인식하고 더 협력한다.

　그러므로 미래의 공동체는 상호 신뢰를 바탕으로 만들어가야 한다. 개인의 자유가 보장된 상황이어야 다양성이 발휘되고 상호 신뢰적인 사람들과 관계를 맺을 수 있다. 조직의 심장이 투명해야 공통의 목표를 향하며 미래의 조직을 만들어가게 된다.
　'사과 속 씨앗은 셀 수 있지만, 씨앗 속 사과는 셀 수 없다'는 말처럼 급격하게 변화하는 사회와 거대 전환기에 이 책에서 그 잠재력의 해답을 찾을 것으로 본다.

넥스트
소사이어티

넥스트Next

당신은 변화의 일부가 될지 아니면,
스스로 탈바꿈할지 결정해야 한다.
_ 지멘스 그룹 회장 조 케저

　현대 경영학의 선구자 피터 드러커의 책 〈넥스트 소사이어티,
2002〉에서 "21세기를 사는 우리의 미래는 갈수록 예측할 수 없고
불확실한 시대"라고 하였다. 미래학자 토머스 프레이는 2030년 20

억 개 일자리가 사라질 것이라고 예측했다. 제임스 캔턴은 2025년 무렵의 직업 가운데 70%는 아직 나타나지 않았다고 말했다. 지금부터라도 부지런히 미래를 예측하고 미래사회 트렌드를 읽어 대비해야 한다.

4차 산업혁명 시대와 관련해 가장 민감한 사안 중 하나는 미래의 일자리이다. 이 책을 준비한 것도 향후 대안 경제 활동과 일자리를 창출할 요소가 무엇인지를 재확인하고 싶어서였다.

인공지능과 로봇, 빅데이터, 사물인터넷, 핀테크, 무인시스템 등의 기술 융복합으로 인간의 일자리는 점점 사라지고 동시에 새로운 직업이 생겨나고 IT노동이 출현되고 있다.

미래 유망직업으로 블록체인 엔지니어, 인공지능 개발자, 건축 3D프린팅, 국가역사 보존사, 기술윤리, 원격조정, 헬스케어, 블록체인 등 신기술과 결합된 직업들이 유망할 것으로 전망한다. 미래의 핵심기술은 3D프린팅, 사물인터넷, 빅데이터, 가상 첨단 제조기술, 에너지 저장기술, 실버기술, 지식기술 등이다. 글로벌 트렌드는 정보통신, 나노융합, 바이오, 에너지, 농업기술, 교통 인프라, 해양 및 우주 등이다. 더불어 클라우드 컴퓨팅, 웨어러블 기기, 수술로봇, 생체인식기술, 유전자, 무인자동차, 수소−전기차, 5G, 우주산업 등이 크게 확대될 것이다. 그리고 기존보다 효율성과 생산성을 훨씬 더 높여줄 것이다.

세계경제포럼 회장 클라우스 슈밥은 "모두가 이익을 얻는 시대를 만들기 위해서는 기술에 대한 이해와 새로운 사고가 필요하다"고 말했다. 경영의 대부인 피터 드러커는 1960년대에 이미 지식사회와 다음 사회(Next Society)를 만드는 주요한 사회 변화를 예측함으로써 기업의 경영자들이 해결해야 할 과제를 알려주었다. 앞으로 미래사회를 읽은 창의적 지식기술 노동자들은 부를 누리며 살수 있다.

피터 드러커는 그의 저서 〈넥스트 소사이어티, 2002〉에서 "기업가정신 1등의 나라는 한국이다"라고 소개했다. 정확히 맞다.

우리나라는 세계 경기 침체와 금융위기, 경제시장 충격에도 느리지만 성장하고 있다. 지금도 여러 위기에도 불구하고 잘 버티고 잘 견뎌주고 있다. 무엇보다도 혁신을 넘어 혁명적이다.

나도 함께 끝까지 응원하겠다. "대한민국 화이팅!"

풀

_ 김수영

..

..

풀이 눕는다
바람보다도 더 빨리 눕는다
바람보다도 더 빨리 울고
바람보다 먼저 일어난다

발밑까지 눕는다
바람보다 늦게 누워도
바람보다 먼저 일어나고
바람보다 늦게 울어도
바람보다 먼저 웃는다

〈거대한 뿌리, 민음사, 1974〉

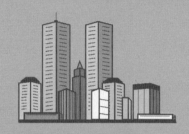

2부

반드시 이기고 싶다는 열망

부의 원동력이
뭐냐?

부(富)의 원동력

다르게 보는 관점

미래는 이미지 사회다.

_ 정병태 박사

앞으로 미래사회는 노동보다 창의력(creativity)으로 움직인다. 일의 대부분을 AI와 로봇이 하기 때문에 그다지 많은 사람들이 필요로 하지 않는다. 그리고 진짜 미래학자의 강연을 듣고나서, 박수를 치지 않는다. 의문을 갖게 하기 때문이다.

미래를 꿈꾸고 거기에서 부(富)를 축적하고 싶다면 기존의 틀에 안주하지 않고 항상 새로워지려고 노력해야 할 것이다. 미래는 결코 저절로 익어 떨어지는 감(甘)이 아니기 때문이다.

미래사회는 일을 해서 부를 축적하고, 대량 생산에 의해 대량 소비가 이루어지는 시대가 아니다. 이는 전통적인 가치관이다. 4차 산업혁명 시대는 과거나 현재가 아니라 미래의 가치와 상상력, 꿈을 중시한다. 과거 신대륙을 발견했던 것처럼 매우 미래지향적인 가치관을 갖고 있다. 물질적인 빈곤이 사라지고 일과 레저의 구분이 없어지면서 사람들은 모든 것에서 재미를 추구한다.

그러므로 미래 투자는 복합성(융합)과 인간다움(휴머니즘) 그리고 창의성이다. 지금 세대들은 훨씬 더 세분화하고 창의적이어야 한다. 이들과 무슨 일을 하려면 사고의 지평을 넓혀야 한다. 그래야 양질의 정보를 선택하여 더 나은 미래를 만들어 갈 수 있다. 그 사고의 지평을 넓히는 훈련으로 미래를 다르게 보는 통찰력을 키워야 한다. 이것이 결정적인 차이를 만들어낸다.

감성 트렌드 이미지와 스토리

앞으로 세상은 이미지가 지배하게 될 것이다.

미래는 이미지와 스토리텔링을 중시하는 문화로 전환하는 시대다. 상상력을 사고 파는 세상이다. 젊은이들은 영상과 게임이 없는 세상을 상상하고 싶지도 않고 SNS를 사용할 수 없다는 것은 생각조차 할 수 없다.

기업들의 광고는 거의 이미지(영상)로 감성에 호소한다. 미래 사회에는 상품을 파는 것이 아니라 상품 안에 담긴 이미지와 스토리, 꿈, 상상력을 판매한다. 나이키의 꿈을 심어주는 광고에서 보여주듯이, 코카콜라와 스타벅스의 감동 스토리를 알고 있듯이 앞으로의 미래는 이미지와 스토리를 중시하는 문화적인 시대로 바뀌었다. 상품에 담긴 이미지와 스토리를 구입하는 것이다.

이는 미래의 사회가 가장 중시하는 것이 스토리적 창의성이다. 즉 독특한 창의성이 곧 부로 연결되는 사회다. 4차 산업혁명 시대는 참신한 아이디어나 창의성을 그 무엇보다도 중요하게 생각한다. 늦었지만 그래도 미래를 준비해야 한다. 이제 현재에서 고개를 들어 미래를 바라보는 상상력의 힘을 길러야 한다.

미래학자들의 보고서에 따르면, 앞으로 20년 안에 다가올 미래의 변화는 우리가 지난 5천 년간 겪었던 변화보다 빠르고 엄청날 것으로 예측한다. 그래 '아는 것이 힘'이라는 말처럼 미래에 부를 축적하기 위해서는 현재 누가 미래를 가장 잘 준비하느냐에 좌우될 것이다. 꼭 기억하되, 경제의 주력 엔진이 이미지와 상상력, 스토리를 담은 창의성이 된다.

앞으로 꿈과 감성에 바탕을 둔 스토리텔러, 시인, 작가 등이 가장 선망 받는 직업 중의 하나다. 아무리 뛰어난 인공지능과 로봇일지라도 사람의 마음을 감동시키는 시인의 감성을 대변할 수는 없다. 어린이들을 대상으로 커서 무엇이 되고 싶으냐는 설문 조사에서 게임 시나리오 작가가 1위를 차지했다고 한다. 물론 최근 가수, 배우도 많았다.

할리우드 배우들이 세계 최고의 부자가 되고, 영화 산업이 21세기 최고의 유망 산업으로 꼽히는 것도 이미지와 스토리 문화 때문이다.

세계적인 명화를 감상해 보자. 〈진주 귀걸이를 한 소녀〉를 그린 화가가 베르메르라는 것을 많이들 알고 있다. 여느 커피숍이나 회사의 벽에 작품이 걸려 있어 쉽게 볼 수 있다.

〈진주 귀걸이를 한 소녀〉, 베르메르, 1665년, 캔버스에 유화,
39x44.5cm, 헤이그 마우리츠호이스.

　　〈진주 귀걸이를 한 소녀〉 그림은 네덜란드 화가 요하네스 베르
메르(Johannes Vermeer, 1632~1675)의 걸작이다. 그의 작품 중에서 가
장 대중적이고 유명한 작품으로, 유일하게 인물의 얼굴만을 클로
즈업 한 그림이다. 윤곽선 없이 부드러운 색조 변화로 리모델링한
이 작품은 마치 레오나르도 다 빈치가 스푸마토 기법으로 그려낸
〈모나리자〉와 닮았다고 하여 "네덜란드의 모나리자"라고 불린다.

앞으로 많은 미술 작품을 일상의 생활과 경제 영역에 적용하게
된다. 한 예로 기업 광고에 명화를 접목해 큰 효과를 거두고 있다.
〈타히티의 여인들〉 고갱, 〈닥터 가셰〉 고흐, 〈무대 위의 발레 연습
〉 드가, 〈피르 라투일레의 정원〉〈풀밭 위의 점심식사〉 마네, 〈훔
친 키스〉 프라고나르 등 비즈니스에서 아트 마케팅을 적극적으로
활용하고 있다.

(좌측)Louise de Broglie, 백작 부인 Haussonville 초상화
오송빌 백작부인 루이즈 드 브로이, 장오귀스트도미니크 앵그르, 1845년

(우측)마리 가브리엘 캡뜨(카펫) (Marie-Gabrielle Capet, 1761-1818)
(제품명: 순수 더 살롱 컬러 아트 갤러리 5.3)

마인드 버그

뭘로 보이나요?

> 생각도 일종의 언어이다.
>
> _ 비트겐슈타인

처음으로 서양철학에서 만난 철학자가 루트비히 비트겐슈타인 (1889~1951)이다. 히틀러를 친구로 둔 그는 독창적인 연구를 하였다. 언어를 철학의 영역에 올려놓은 위대한 철학자이다. 논리철학자 비트겐슈타인은 재밌는 언어 그림을 제시하였다. 이 그림을 어떤 사람은 '오리'라고 볼 수 있고, 다른 사람은 '토끼'라고 볼 수도 있다. 독자분들은 이 그림이 무엇으로 보이는가?

비트겐슈타인의 '토끼 – 오리'

출처: 1898년 이전에 제트로가 논문에서 발표했던 오리-토끼 그림

이 그림은 보는 사람의 문화적 프레임(패턴, 틀)에 의해 서로 다르게 해석되는 것이다. 이를 비트겐슈타인은 문화적 삶의 양식이라고 말했다. 내게 익숙한 문화적 생활방식이 언어로 소통되어진다. 그는 "사자가 말을 할 수 있다고 하더라도 우리는 그 말을 이해할 수 없다"라고 말했다.

사실 삶의 방식과 주어진 환경과 개인의 경험이 다르다면 우리는 같은 말을 한다 해도 서로를 조금도 이해할 수가 없다. 그러므로 우리는 변화된 시대에 맞춰 과거와 이별해야 한다. 오래된 나를 떠나, 오래되고 낡은패턴에서 벗어나 나의 딱딱한 고정관념의 언어를 바꾸는 것이 부(富)의 마인드에 중요한 결정적 요소이다.

내 눈을 믿지 말라

모두가 원하지만

아무도 하지 않는 일(Blue Ocean)에 도전하라.

_ 페이스북 창업가 마크 저커버그

* 마인드버그(mindbug: 공정한 판단을 방해하는 내 안의 숨겨진 편향들).

마인드버그. 좀 생소한 단어다. 이는 뿌리 깊은 사고 습관이 사물을 인식하고 기억하며 추론하고 결정하는 과정에 일으키는 사고의 오류, 정신의 오작동을 의미한다. 미국의 시인 에밀리 디킨슨이 쓴 편지 중에 이런 말이 있다.

"선원은 북극을 볼 수 없지만, 나침반이 볼 수 있다는 것은 안다."

우리는 무엇을 결정하거나 판단을 내리기 전, 한 번 더 생각해야 하는 이유를 제시하겠다. 놀랍게도, 빤히 보고 있으면서도 도저히 믿기지 않는 현상들이 우리의 일상생활에 가득하지 않은가?

아래에 있는 두 개의 테이블 윗면은 모양과 크기가 정확하게 일치한다.

… 고개를 갸우뚱거리는 사람들도 있겠지만, 이는 초등학생들도 다 아는 상식이다. 테이블의 두 윗면이 꼭 들어맞고 일치한다.

두 테이블 중 어느 것이 더 길어 보이는가? 답은 윗면이 꼭 같다.

우리의 눈과 뇌가 시각 정보를 봤다고 그것이 다 맞는 것은 아니다. 우리가 인지하는 방식이 꼭 옳게만 해석하고 기억하는 것은 아니다. 우리는 한 쌍의 사물을 실제 모습 그대로 인식하는 뇌의 오류(착시 효과)에 속은 것이다. 뿌리 깊이 박힌 사고 습관이 사물을 인식하고 기억하고 추론하고 결정하는 과정에서 오류를 일으킨다. 이 같은 오류를 '마인드버그(mindbug)'라고 말한다. 심리학자 로저 셰퍼드는 눈이 인지하고 뇌에 전달하는 데 오류가 있음을 발견하였다. '탁자 돌리기'라 부른 착시 현상에서, 탁자 하나를 다른 탁자 방향으로 돌리면 탁자 상판의 평행사변형 두 개가 똑같이 겹친다.

↑ 위 테이블들은 다르게 보이지만, 사실은 크기와 모양이 정확히 같은 것들이
다. 양쪽을 측정해 보면 꼭 일치한다는 것을 알 수 있다.
(그림: 두 테이블의 상단, 셰퍼드(1990)의 저술에서 발췌)

우리는 두 테이블 윗면의 모양이 서로 다르다는 잘못된 인지적 판단과 편향들로 결정을 하며 살아가고 있다. 주관적으로 본다는 것을 경험으로 삼아 쉽게 속아 넘어가고 있듯, 관계를 맺고 세상을 보고 이해하며 기억하고 있는 것이 다 옳다고만 할 수 없다. 우리의 주관적 판단은 생각과 행동의 차이를 만들어 낸다.

이제 보고 기억하고 사고하고 판단하는 방식을 바꿀 필요가 있다. 보는 방식이 어떤 격차를 드러내기 때문이다.

우리가 지닌 덜 편견을 갖고 덜 편향적이며 덜 잘못된 고정관념에 속아 넘어가지 않는 스마트한 사람이 되려고 해야 한다. 더 의식적으로 우리의 생각과 행동에 집중하도록 하자, 특히 관찰 능력을 키워 뇌의 인지구조를 형성하도록 이 책이 도와주고 바꿔 줄 것이다.

신기하게도 사회적 마인드버그는 다른 사람에 대한 판단뿐 아니라 자기 자신에 대한 판단에도 영향을 미친다. 우리의 잘못된 마인드버그가 다른 사람뿐 아니라 우리 자신에게도 해로울 수 있다는 점이다. 즉 비틀어진 편향들은 자기 자신을 향한 행동에도 부정적인 영향을 미칠 수 있다. 그러므로 늘 긍정적 사고를 가져야 한다.

그렇다면 두말할 필요 없이 가장 먼저 할 일은 낡은 사고방식을 버리는 것이다.

부(富)의 마인드 셋

성장형 마인드 셋

'NO'를 거꾸로 쓰면 전진을 의미하는 'ON'이 된다.

모든 문제에는 반드시 문제를 푸는 열쇠가 있다.

끊임없이 생각하고 찾아내라.

_ 노먼 빈센트 필 박사

성공한 사람은 마음가짐이 다르다.

삶이란 크고 작은 위기에 대응해가는 과정의 연속이다. 그래서 창의적인 토대가 되어야 성장할 수 있다. 〈동의보감〉에서 허준의 스승 유의태(柳義泰)는 제자 허준에게 모름지기 심의(心醫)가 되어라고 당부한다. 즉 환자의 마음을 읽어내고 움직여야 병을 고칠 수 있듯, 살아보지 않고 보지 못한 미래를 준비하고 대비할 수 있는 변신력을 갖추어야 한다.

21세기 최고의 부자 빌 게이츠가 강력하게 추천했다는 책이 케럴 드웩 교수의 "마인드 셋(mind set 신념, 의식구조)"이다. 성공한 사람의 특별함은 바로 마음가짐이었다는 것이다. 흔히 바꾸기가 힘든 마음가짐을 '마인드 셋'이라 한다. 즉 주어진 환경을 뛰어넘어 환경 자체를 재구축하는 행위이다. 아직 부자는 아니지만 부자의 사고 방식을 실천하는 것이다. 이미 부자가 되어 생각하고 말하고 행동한다. 스탠퍼드대학교 심리학과 케럴 드웩(Carol Dweck) 박사는 사람들이 가지고 있는 자기 자신에 대한 신념을 '마인드 셋(mind set)'이라고 하면서, 성장의 마인드 셋과 고착의 마인드 셋 두 가지로 구분했다.

먼저 고착형 마인트 셋은 사람들의 지능과 능력이 고정되어 있다고 믿기 때문에 자신의 능력 이상을 추구하지 않으며 기회에 대한 문을 닫고 있다. 다른 사람의 새로운 아이디어를 시도하거나 모험을 하지 못하게 가로막는다. 반면에 사람의 지능과 능력은 후천적인 노력에 의해 얼마든지 계발되고 성장한다고 믿기에 끊임없이 학습하고 도전하는 것은 성장형 마인드 셋이다.

사회학자 벤저민 바버는 "나는 이 세상을 약자와 강자, 아니면 성공한 사람과 실패한 사람으로 나누지 않는다. 나는 이 세상을 학습하는 사람과 학습하지 않는 사람으로 나눈다"라고 말했다. 그런데 부의 마인드 셋은 어떻게 계발하느냐에 따라 얼마든지 바뀔 수 있다. 먼저 가지고 있는 자신의 마인드 셋을 파악하여 문제들을 하나씩 해결해 나아가라.

사람은 누구든 욕망과 높은 꿈을 가지고 있고 그것을 이루고 싶어 한다. 그렇게 하려면 안전지대에서 벗어나는 노력과 배움을 멈춘다면 그 목표를 이룰 수 없다. 매일 조금씩 당신에게 도움이 될 새로운 것을 배우는 시간을 가져라. 가치 있는 만남이나 독서도 좋다. 부단히 낡은 사고방식과 부정적인 태도를 가능한 모든 방법으로 자기를 개선해야 한다. 다 알고 있는 사실이지만 시간과 흘러가는 물은 누구도 기다려주지 않는다. 미루고 변명하는 것은 당신을 후퇴시키는 장애일 뿐이다.

시나리오 플래닝

제2의 르네상스 시대(4차 산업혁명)는 쉼 없이 날마다 새로운 것을 배운다. 그러면서 일을 놀이처럼, 삶을 여행처럼, 만남을 인문학적으로.., 그리고 눈에 보이는 것에만 초점을 맞추는 것이 아니라 눈에 보이지 않는 무형자산에도…, 이를테면 창의적 상상력, 미래사회, 비전, 관계, 건강, 행복, 의미 등에 더 가치를 두고 예술가처럼 살아간다. 앞으로 5년, 10년, 먼 미래를 읽으며 준비한다. 그래서 무형자산의 중요성을 인식하고 감성사회를 선도하는 옷으로 갈아입고 미래 준비에 더 많은 열정을 투자한다.

제2의 르네상스 시대에 누구든 가져야 할 중요한 부의 마인드로, 즉 기존의 관행이나 전통적인 생각으로부터 벗어나 미래의 창의적 생각을 갖는 것이다. 미래에 대한 판단이 없으면, 결정도 없고 계획도 있을 수 없다. 이는 비단 특정인에게만 해당되는 얘기가 아니라 모든 분들에 해당된다. 그렇다면 누구에게 물어 미래를 예측해야 가장 현실적이고 적합한 답을 찾을 수 있을까?

스스로 학습하여 통찰력을 넓히고 독서를 통해 창의적 사고를 갖도록 한다. 그래서 중장기 시나리오 플래닝(Scenario Planning)을 세운다. 이 기법은 갈수록 불확실성이 높아지는 요즘의 글로벌 환경에서 중장기 전략을 수립할 때 특히 유용하다. 미래에 대한 유연한 대응을 가능하게 해준다.

무지개 그리기

우리는 어릴 적부터 빨주노초파남보의 무지개를 배웠다. 그렇다면 다음 아래에 자신이 어릴 적부터 생각하고 있는 7색(빨주노초청남보) 무지개를 그려보고자 한다.

아마도 대부분 반원의 7가지 색상을 가진 무지개를 그릴 것이다. 그런데 실제 무지개는 반원이 아니라 원래 커다란 '동그라미' 모양이다. 단지 지평선의 수직으로만 보이기 때문에 반원처럼 보이는 것뿐이다. 만일 높은 하늘에서 무지개를 보게 된다면 무지개의 둥근 띠 원형 모양으로 보이게 된다.

구반문촉

송나라 문장가 소동파의 글에 '구반문촉(毆槃捫燭)'이란 말이 있다. "날 때부터 장님이었던 사람이 어느 날 태양이 어떻게 생겼는지가 궁금해졌다. 태양은 구리 쟁반처럼 생겼고 촛불처럼 빛을 낸다는 소리만 듣고는 장님이 쟁반을 두드리고 초를 어루만져 본 것만 가지고 태양에 대해 말한다"는 뜻이다. 내가 보고 느낀 것이 다가 아닐 수 있어 섣부른 판단은 유보하고, 덮어놓고 행동하는 것을 경계해야 한다는 것이다. 눈에 보이는 것으로 모든 것을 판단하는 것은 옳지 않다.

성공이란

'성공이란 무엇인가?'를 다음의 이미지로 대신 전한다. 오래도록 이미지를 보면서 나의 삶, 성공, 부, 행복, 인간관계 그리고 무엇을 판단하고 결정하는 마인드 셋이 확립되기를 바란다.

성공이란 무엇인가?

3부

틀 안에서 사고하는 인간

뭘 본 것일까?

오래된 나 버리기

창조적 의식

> 인간의 마음은 신의 무한한 지성의 일부다.
>
> _ 유대인 철학자 스피노자

"세 살 버릇 여든 살까지 간다"는 말은 오랫동안 지녀온 습관이나 사고방식을 고치는 건 아주 힘들다는 의미이다. 무엇인가 변화나 창조는 굳어진 생각과 행동을 없애야 한다.

현명한 지도자로 알려진 로마 황제 마르쿠스 아우렐리우스(121-

180)는 "우리 삶을 만들어가는 것은 우리의 생각이다"라고 말했다. 지금 떠오르는 글귀가 "마음이 몸을 지배한다"는 데는 이론의 여지가 없다. 이 세상에 마음을 쏟아서 안 되는 일은 없으며, 마음이 기적을 불러온다. 여기서 중요한 것은 다른 사람에게 생각과 태도와 신념을 전달하는 과정이 마음을 통해서 이루어진다는 것이다. 다시 말해서 생각은 삶을 창조하기도 하고 파괴하기도 한다.

프랑스 실존주의 철학자 장 폴 사르트르의 단막극 〈출구는 없다〉
에서 주인공은 "인간은 그가 되고자 하는 바 그것이다"라고 말했
다. 강한 의식적인 마음은 창조적 힘이 존재한다. 그러므로 당신의
마음이 무언가를 창조하고 싶다면, 그 마음은 상상할 수 있는 가장
높은 가치를 추구하라. 창조적 의식은 끊임없는 사고와 노력, 연습
을 통해 거의 이룰 수 있다.

장 폴 사르트르(1905-1980)

나는 확신하건대, 당신의 삶은 창의적 의식화하면 원하는 수준으로 행복과 성공, 건강을 끌어올릴 수 있고 오랜 낡은 습관으로부터 벗어날 수 있다. 그 결과 새로운 것을 창조하게 된다.

오래된 나를 버리기 위한 준비운동으로, 익숙한 변명에 초점을 맞추는 대신 모든 것을 할 수 있으며, 창의적 전략은 모든 것을 재창조한다. 그리고 내가 신적 자아의 한 일부라는 확신을 가져라.

지금 단호하게 결단한다. "변명은 이제 그만!"

현재에 온전히 몰입하라. 집중하자.

'할 수 없다'는 생각에서 무한한 가능성의 영역에 머물러 있어라. 나는 그리스 학자 니코스 카잔자키스를 좋아한다. 그의 소설 〈그리스인 조르바〉에서 찾았다. 아니 달달 외웠다.

"우리는 아직 존재하지 않는 무언가를 열정적으로 믿음으로써 그것을 창조해낼 수 있다."

〈그리스인 조르바〉, 니코스 카잔자키스, 유재원 역, 문학과지성사

새로운 렌즈

좋든 싫든 당신이 생각하고 본 것을 얻게 된다는 점을 기억하라.

창의적 의식사고를 획득함으로써 새로운 렌즈를 통해 내 안의 능력을 일깨우고 세상의 가치를 보라. 분명 이 새로운 렌즈를 통해 그간 보이지 않았던 마음의 눈이 열리게 된다. 그리고 혁신적인 발견을 하게 될 것이다.

영국의 정치가이자 철학자인 프란시스 베이컨이 말하기를 "현인은 기회를 발견하는 것이 아니라 스스로 만든다." 창조적 성공은 스스로 기회를 만드는 것이다.

부자 마인드는 기존의 사고 패턴에서 벗어나 새로운 통찰력을 갖고 변명하지 않음에 있다. 즉 혁신, 내적 혁명, 생각을 바꾸어 삶을 바꾸는 것에 있다. 평생에 걸쳐 굳어진 생각은 우리를 옴짝달싹 못하게 한다. 이 사실을 자각하고 깨어나는 것이다. 새로운 가능성의 세상이 펼쳐있음을 보고 당당히 나아가라. 힘들어도 포기하지 말고 한 발짝만이라도 내딛자.

고정관념의 틀 깨기

그림 그리는 철학자

나 혼자 꿈을 꾸면 그것은 꿈일 뿐이다.
하지만 우리 모두가 함께 꿈을 꾸면
그것은 새로운 현실의 출발이다.

_ 초현실주의 화가 르네 마그리트

결국 부자가 되려면, 먼저 부의 마인드를 가져야 한다. 우리의 익숙해져 오랫동안 갖고 있던 상식적인 고정관념을 깨고, 새로운 창의성과 다양성을 수용할 수 있도록 말이다. 그간 지녀온 신념, 그릇된 습관이나 낡은 사고방식, 굳어진 생각과 행동을 고치는 굳은 결단이 있어야 한다.

우리 주변에 크게 성공한 리더들은 '이길 기대가 성과를 결정한다'는 사실을 알고 있다. 그래서인지 마인드가 다르다. 한 운동선수의 좌우명이 "챔피언은 타고나는 게 아니라 만들어진다." 정말로 그는 챔피언이 되었다. 개인의 성과와 조직의 성장은 부자 마인드에 달려있다.

이렇게 스스로 긍정의 부자 마인드 주문을 걸어보자.

나는 부자다.
나는 부자의 마인드를 가졌다.
나는 부자가 될 자격이 충분하다.

과학은 항상 진리일까?

거울은 항상 반대의 이미지를 보여줄까?

꼭 그렇지만은 않다. 초현실주의(Surrealism) 작품들은 인간의 무의식과 잠재의식에 내재되어 있는 본능적인 욕구를 연구하여 인간의 다층적 심리의 표출이다. 대표적으로 유명한 초현실주의 벨기에 화가 르네 마그리트(Rene Magritte, 1898-1967)는 기발한 발상, 관습적 사고의 거부, 그리고 상식과 고정관념의 틀을 깨주었다. 그는 화가라는 이름 대신 그림 그리는 철학자로 불리길 더 원했다.

상식을 뒤엎는 그의 그림들은 창의성과 다양성을 추구하는 오늘 사회에서 더욱 빛을 발하며 자극을 주고 있다.

'영감'은 무엇이 일어나는지 알고 있는 순간을 말한다.
그러나 우리는 무엇이 일어나는지조차 모르고 있다.

_ 르네 마그리트

뭘 본 것일까?

그림과 세상은 사실 이어져 있다.

옛 굳어진 생각과 행동과의 이별을 축하한다.

나를 옴짝달싹 못하게 내면 깊숙이 자리 잡은 사고 습관과 떠나게 됨을 축하한다. 전폭적으로 동의한다.

그림 속에서 아이가 탈출을 시도하고 있다.

스페인 화가 페레 보레 델 카소의 작품 '비평으로부터의 탈출'을 보면서. 왜 저런 행동과 표정을 지었는지 생각해 보고자 한다.

우리도 가끔 일상에서 탈출하고 싶은 생각에 손을 뻗어 잡아 주면 나올 십상이다.

페레 보레 델 카소, '비평으로부터의 탈출', 1874
('꾸지람을 피해서', 마드리드 방코 컬렉션)

이 작품은 인문 예술 서적을 읽다가 가장 마음에 들었던 작품이다. 한 아이가 액자 속으로부터 액자 밖으로 몸을 내밀었으며, 어딘가의 무엇을 향해 마치 놀란 듯한, 경멸하는 듯한, 분노하는 듯한 표정을 함께하고 있다. 눈이 휘둥그레진 모양 하며, 낯빛이 창백하여 탈출을 시도하고 있다.

화가는 작품으로 자신을 현재 존재를 표현하려고 하였다.

당시 비평가들의 조롱에 맞서기 위해서 만든 작품이었다.

진짜 탈출하는 것 같은 착각을 주는 이런 그림을 프랑스어로 "트롱프뢰유(눈속임)"라고 한다. 19세기 들어 사진의 발명으로 사람들의 눈을 속이는 눈속임 그림을 조롱하였다. 페레 보레 델 카소(1835-1910)는 작품 활동을 할 수 없게 된 자신의 처지를 나타낸 그림이다.

그림과 바깥세상이 사실은 하나로 연결돼 있다.

내가 뭐가 될지는 뇌가 결정

물리적 현실은 끊임없이 변화하므로 우리도 끊임없이 변화해야 한다. 우리는 고정된 존재가 아니라 미완성 작품이기 때문이다. 다음의 체커 판을 보라. 보기에는 다르게 보이지만, 사각형 A와 B는 똑같은 색깔이다. 사각형 A와 B로 표시된 두 사각형의 색깔을 비교해보라.

이 그림은 미국의 매사추세츠공대 뇌인지과학과 에드워드 아델슨 교수가 만든 착시도형이다. 여기에는 눈에 보이는 현실과 전혀 다른 대표적인 착시현상이 숨어 있다.

이런 환상들은 외부 세계에 대한 우리의 고정된 그림이 꼭 정확히 반영하는 것만은 아니라는 사실을 일깨워준다.

착시란 시각으로 나타나는 착각의 한 종류로 사물의 형태나 크기, 명암 등이 사실과 다른 모습으로 보는 것을 말한다.

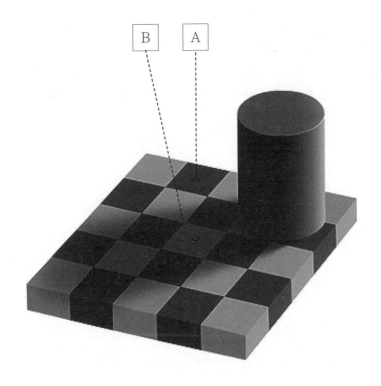

착시를 일으키는 그림(출처: 위키미디어 제공)
(A와 B가 적힌 체스판의 배경색은 같다.)

체스판에서 A, B의 밝기는 다르게 보이지만
A, B 사이를 가리면 B체스판이 A와 같은 색이 된다.

뇌과학은 빠르게 변화하는 분야이다.

그런데 우리의 생각과 꿈, 기억과 경험, 그리고 창의적 통찰력 등 모두 뇌에서 출발한다. 사실 우리의 뇌는 기억하고, 지각하고, 생각하고, 그리고 결정하는 일을 한다. 즉 내가 뭐가 될지를 결정한다.

인간의 뇌에는 1000억 개의 뉴런이 있다.

그런데 창의적 사고는 뉴런을 활성화시킨다.

바깥세상의 정보가 뇌로 진입하면 감각기관들은 뉴런에게 신호 전달을 보낸다. 각각의 뉴런 세포들은 평생 내내 매초 화학적 신호로 소통한다. 이때 가장 지배적인 감각인 것은 시각이다.

이러한 활동은 개인의 창의적 통찰력을 키운다.

1000억 개 뉴런(신경세포)은 많은 가지돌기들이 뻗어나와 서로 연결되어 있다. 이 가지와 가지를 이어주어 신호를 주고받는 부위가 바로 시냅스이다.

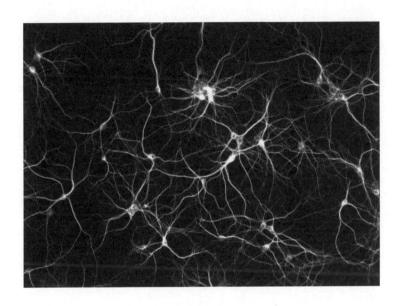

뉴런 (출처: 나무위키 사전)
(뉴런을 자극하여 창의성을 일으킨다. 창의적 사고가 창의력을 키운다.)

고정된 시간

뉴런의 활성화로 확장된 사고는 창의력을 키운다. 미술과 철학을 융합한 그림을 그렸다. 나는 그를 패러독스의 화가로 부르고 싶다(역설을 그리다). 그는 벨기에 화가 르네 마그리트다. 영국의 〈더 타임스〉는 마그리트의 그림이 '매우 지적이고 사고를 자극한다'라고 극찬했다.

그의 작품 〈고정된 시간〉. 참으로 시적인 제목이다.

사각형의 벽난로가 있고 그 안엔 멈추어진 기차가 허공에 떠 있다. 사실 기차는 움직이고 있는데 멈춰 보인다.

그런데 철로도 없고 벽난로를 뚫고 난데없이 기차가 튀어나온다. 기차는 전속력으로 달리고 있었던 듯 하얀 연기를 내뿜고 있다.

그림은 누가 봐도 전혀 이치에 맞지 않는다. 기차를 크게 그려야 하지만 상대적으로 작은 벽난로는 훨씬 크게 묘사하였다. 한마디로 창의적이고 역설(逆說)적 그림이다. 그림 감상을 통해 창의적 통찰력을 키운다.

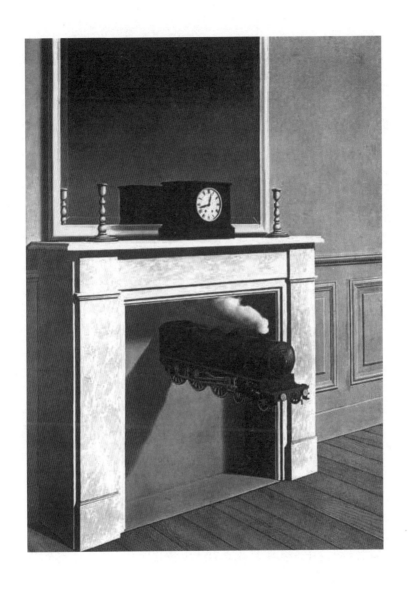

〈고정된 시간〉, 르네 마그리트, 1939, 캔버스에 유채, 146x97cm, 시카고 미술관

그런데 이 그림은 보는 독자들에게 많은 통찰적 사고를 갖게 한다. 놀랍게도, 벽난로와 기차의 공통점은 둘 다 에너지를 전환하고 연료를 내뿜는다. 그리고 역설적으로 벽난로 속 통나무(장작)가 태워지고 에너지를 방출한다.

미래사회와 창조경제에는 통찰적 사고가 필요하다. 때론 이렇게 그림의 역설을 통해 미래 트렌드를 읽고 부의 가치를 일깨우는 기회가 된다.

이것은 파이프가 아니다

우리는 이미지가 지배하는 사회에 살고 있다.

초현실주의 화가 르네 마그리트의 그림은 신비적이고 비논리적 이미지로 가득하다. 그의 그림은 보는 이로 하여금 당혹감을 느끼게 하며 철학적 사고를 유도한다. 그의 대표작으로 〈피레네 성〉, 〈골콩드〉, 〈인간의 조건〉, 〈이것은 파이프가 아니다〉 등이 있다.

그는 이미지를 단지 사물의 외관이 아니라 사물의 본질 혹은 사물과 인간의 관계를 드러내는 수단으로 사용한다. 즉, 이미지의 역설을 통해 사고의 역설(逆說)을 극적으로 드러낸다.

〈이것은 파이프가 아니다〉, 르네 마그리트, 1928년, 60.33x81.12cm,
The Los Angeles County Museum of Art

그림 속에 "이것은 파이프가 아니다"라고 적혀있다.

파이프가 마치 둥둥 떠 있듯, 캔버스 가득히 담배 파이프를 정밀하게 묘사해놓았다. 그런데 특징적인 것은 그 아래 쓰여 있는 글귀다. "이것은 파이프가 아니다."

분명 파이프를 나타내는 그림이 그 자체로 파이프는 아니다. 언어적 습관으로 인해 이미지와 언어는 우리를 속이고 있다. 진짜 이것이 파이프라면 파이프를 잡고 담배를 펴봐라.

금지된 재현

> 내게 있어 세상은 상식에 대한 도전이다.
>
> _ 르네 마그리트

다음은 르네 마그리트의 〈금지된 재현〉 작품이다. 그에게 눈은 잘못된 거울이다. 눈은 보이는 그대로만 인식할 뿐, 숨겨진 다양한 의미와 변형을 보지 못하기 때문이다.

자, 그의 작품을 감상해 보자.

〈금지된 재현(에드워드 제임스의 초상)〉, 르네 마그리트, 1937
출처: 보익스만 포안 뵈닝겐 미술관

〈금지된 재현〉 작품을 보면, 르네 마그리트는 현실과 허상의 혼동에 사는 우리를 대변하고 있다. 그림 속 남자는 거울을 바라보고 있다. 그런데 어찌된 일인지 거울에는 그의 얼굴이 아니라 뒷모습이 비치고 있다. 그리고 거꾸로 비추어져야 할 책도 제대로 보인다. 미술에서 '재현'은 장소 또는 사물을 그대로 묘사하는 것을 뜻한다. 그렇다면 이 그림 속 '거울'은 '거울'이 아닐 것이다. 그렇다면 저 '거울'은 무엇일까?

이 작품에서 거울은 타인의 시선을 상징한다. 반면 뒷모습은 자신의 내면을 의미한다. 타인의 시선은 나의 내면을 바라보는 계기가 된다. 그림 속 거울은 실제 세계가 아닌, 회화에서만 가능한 〈금지된 재현〉으로 표현된 거울이다.

마그리트 그림에서 '거울'은 익숙하고 일상적이었던 모습과는 다르게 모순된 모습으로 나타난다. 때문에 위의 그림처럼 앞-뒤의 구분이 모호한 거울은 눈에 보이는 것과 다른 세계를 비추고 있을 것이다.

르네 마그리트는 과학적인 진리를 깨뜨리고 있다. 우리가 알고 있는 과학이나 수학이 항상 변하지 않는 진리가 아니라는 것이다.

우리의 낡은 사고방식에서 벗어나야 타인의 시선으로 볼 수 있다.

개인적 가치들

르네 마그리트는 "우리가 보는 모든 것에는 다른 어떤 것이 숨겨져 있다"고 말했다. 그는 기이한 그림들을 많이 그렸다. 그래서인지 몰라도 그의 별명은 "그림 그리는 철학자"였다. 특히 〈개인적 가치들〉 작품은 더욱 충격적인 경험을 하게 한다. 전형적인 데페이즈망(Dépaysement)의 표현 기법(이질적으로 위치를 바꾸다)이며 사물의 크기를 기존의 우리가 알고 있던 상식보다 키워 묘한 느낌을 연출했다.

그의 〈개인적 가치들〉 작품은 현실적인 물건들과 상상의 세계가 같이 들어있어 초현실적인 세계를 보여주고 있다. 그려진 사물들은 현실적으로는 조화를 이룰 수 없는 이질적인 사물들인데 그것들이 한 공간에서 만나는 장면을 목격한다.

벽의 역할을 하는 푸른 하늘과 침대위에 서있는 거대한 머리빗, 옷장위에 놓여 진 과장된 화장 붓 그리고 바닥에 놓인 거대한 와인 잔. 이러한 물건들은 전혀 예측하지 못한 조형성으로 잘 나타나게 된다.

〈개인적 가치들〉, 르네 마그리트, 1952, 캔버스에 유채,
출처: Christie's

인간의 조건

'그림 그리는 철학자'로 불리기를 좋아했던 초현실주의 화가 르네 마그리트(Rene Magritte, 1898-1967)는 자신만의 독특하고 색다른 그림들을 그렸다. 일상적인 이미지를 완전히 다른 느낌으로 표현했다.

마그리트는 1898년 벨기에에서 태어났고, 어린 시절 자살한 어머니의 시체가 물가에 떠오르는 모습을 보게 되는데, 나중에 그의 작품에 큰 영향을 끼쳤다고 한다. 그는 자신만의 개성이 두드러지는 작품들을 그렸다. 마그리트가 자주 사용했던 데페이즈망(Dépaysement)이라는 표현 기법은 아무 관계가 없는 사물이 엉뚱한 곳에 뒤섞여있는 것을 뜻한다. 즉 특정한 대상을 상식의 맥락에서 떼어내 이질적인 상황에 배치함으로써 기이하고 낯선 장면을 연출해, 보는 이로 하여금 신선한 충격을 주는 것이다.

그의 대표작 〈인간의 조건〉 작품을 감상해 보자.

〈인간의 조건〉, 르네 마그리트, 1935,1933 연작, 유화, 개인소장

아치형으로 뚫린 창문이라는 경계선을 두고 안과 밖을 동시에 내다볼 수 있다. 그런데 안과 밖의 경계를 따로 구분하기도 한다. 사실 이 둘은 하나의 공간 속에 존재하고 있다. 그러나 창밖의 풍경으로 인해 마치 두 가지 작품이 공존하는 듯한 느낌을 받을 수 있다. 탁 뜨인 해변과 푸른 파도가 중앙을 차치하고 있어서 보는 이의 시선을 사로잡고 있다.

그림 오른 편에는 이젤에 놓인 그림 캔버스가 있다. 그런데 창밖의 바다 그림과 이젤의 캔버스의 바다 그림이 마치 하나처럼 이어져 있다. 그래서 캔버스의 바다 그림은 창문 밖의 바다를 보고 그린 그림이라고 생각하게 한다. 그러나 바다의 그림은 모두 평면에 그린 2차원적 그림이다.

마그리트는 사람들의 오래된 사고 틀 안에서 사물을 본다는 것을 그림으로 말해주고 있다. 때론 고정관념 틀 안에서 사고하는 존재가 인간이라는 것이다. 즉 작품을 보는 사람들에게 일반적인 사고의 일탈을 유도한다.

미래를 꿈꾸고 거기에서 기회를 찾고 싶다면 기존의 고착된 틀에 안주하지 않고 항상 새로워지려고 노력해야 할 것이다.

나는 르네 마그리트의 작품 〈인간의 조건〉을 감상하면서, 기존에 배치되었던 그리고 익숙했던 낡은 상식과 관습적인 인식 체계가 깨어지게 되었다. 그동안 오래도록 자리 잡고 있던 고정관념과 선입견에 사로잡혀 있던 사고를 뒤흔들었다.

지금까지 내가 만든 사고의 틀에서 낡은 것을 깨부수고 새로운 창의성과 다양성을 받아들이고 있다는 것에 감사할 뿐이다.

4부

원대한 상상력의 사회

'다르게'가 아니라
더 독특하게

큰 뜻을 더 높게 세우기

퇴로를 끊어버리기

20대에 이름을 알리고,

30대에 사업 자금을 모으고,

40대에 큰 승부를 걸고,

50대에 사업 모델을 완성해서,

60대에 다음 세대에 경영권을 물려준다.

_ 혁신경영의 귀재 소프트뱅크 손정의 회장

우리는 혁명의 시대에 살고 있다. 그런데 진정한 혁명은 파괴 없이는 나오지 않는다. 먼저 남이 아닌 자신으로부터 시작돼야 한다. 자신의 오래 된 사고와 통념을 완전히 부셔버리는 기백이 먼저다. 온 몸을 던져서라도 이루겠다는 높은 차원의 뜻을 가져야 한다. 퇴로를 없애고 최선을 다하여 도전하는 자세가 필요하다. 창의적 사고에 바탕을 둔 도전과 실행이 없으면 미래는 열리지 않는다.

문제에 직면했을 때 바로 고개를 돌려 피하지 마라. 일시적으로 편할 수는 있지만, 큰 뜻을 가진 사람들은 문제를 정면으로 보고 할 수 있다는 긍정의 생각을 갖는다.

인생이란 피하고 도망치고 고개를 뒤로 돌리는 것이 아니라 정면 승부를 해야 한다. 문제를 깨부수고 나가기 위해서는 퇴로를 끊어 버리고 정면 승부를 해야 한다. 돌아갈 곳이 있다고 생각하여 대충하면 실패한다. 배수진을 치고 "여기서 죽겠다. 여기서 못 해내면 돌아갈 곳이 없다. 나에겐 더 이상 퇴로는 없다." 이러한 불굴의 정신을 가지고 행동을 해야 진정한 창의적 미래혁명을 만들어낸다.

큰 생각, 포부, 비전

그들을 보라, 인생에서 큰 업적을 달성한 사람들은 다르다. 그들은 다르게 생각하고 큰 그림을 그린다. 한마디로 그들만의 철학이 있다.

인생에서 가장 중요한 것은 큰 포부를 품고 큰 뜻을 세우는 것이다. 즉 미래지향적인 사람이다. 비전을 품고 선명한 먼 훗날을 거시적인 시야로 보는 사람이 그렇지 않은 사람과 큰 폭의 격차를 만들어 낸다. 그러므로 인생은 장기 레이스다. 큰 포부를 갖고 꾸준히 노력하고 중도에 단념하지 않고 계속 질주한다면, 부의 무한한 가능성과 성공의 기회는 반드시 온다.

그래서 다음의 세 마디 '큰 생각, 큰 포부, 큰 비전.' 이것을 선명하게 품고 실행해야 한다. 인간은 생각으로 결정된다. 그 생각이 행동으로 바뀌고 그 행동이 인생을 만들어 낸다. 그래서 큰 포부를 가지고 크게 행동하면 큰 인물이 될 수 있다. 즉 큰 생각이 큰 인물들의 특징이다.

부디 모두 왕성한 도전정신으로 큰 포부를 세워 대단히 큰 성공을 거두기를 기대한다. 때때로 자신의 직관을 믿어야 하고, 가슴은 머리보다 더 정교하게 세상과 사물을 인식하여 단번에 본질을 통

찰해야 한다. 일본 최고의 부자 기업인 소프트뱅크의 CEO 손정의
는 사업을 하기 전에 이미 십대 때 큰 포부를 품었다. 열악한 환경
이었지만 그 큰 포부대로 일본 최고의 부자가 되었다.

이처럼 누구든지 꿈을 가슴 속에 품고 최선을 다해 실천하는 사
람은 반드시 부(富)를 이룰 수 있다. 재차 여기서 여러분에게 가장
먼저 해 주고 싶은 말은 선명한 큰 생각, 큰 포부를 품으라는 것이
다.

큰 부(富)를 기대하라. 조금은 낯설고 두렵겠지만, 남들이 가지
않는 길을 가라, 남이 싫어하는 일을 즐겨하라. 시대를 창조하는
리더들은 대체로 남들이 많이 가는 쪽이 아닌 방향을 선택하고, 남
들이 하기 싫어하는 일들을 함으로써 블루오션(Blue Ocean)을 창조
한다. 이는 확고한 신념과 용기, 굳은 의지와 창의적 사고로 새로
운 길을 만들어 낸다. 결국 부의 기회를 얻게 된다.

소프트뱅크의 CEO 손정의는 "뜻을 높게!"라는 말을 좋아했다고
한다. 한번 주어진 인생 더 높은 뜻을 가지고 살아가야 한다. 이 뜻
은 막연한 꿈보다 더 강도가 센 의지이다. 소망을 뛰어 넘은 굳은
마음가짐이다. 우리 인생을 멋지게 살고자 한다면 높은 차원의 뜻
을 지녀야 한다.

누구에게나 기회는 온다. 어떤 사람은 그 기회를 잡는다. 중요한 것은 확신을 갖고 뜻을 높게 세워 온몸을 던져서라도 그 기회를 잡아야 하는 것이다. 자신의 전부를 던지는 도전은 크게 도약할 기회를 제공한다. '리스크 없이 대가 없다'라는 말은 좋은 삶의 교훈이다. 더 높은 뜻을 세운 사람에게 리스크(risk)는 그리 문제가 되지 않는다.

성공을 꿈꾸는 사람들에게 가장 중요한 태도는 미래사회를 읽고 큰 방향을 잡는 것이다. 보통 사람은 큰 뜻을 세우고 미래를 꿈꾸지 않으며 부자가 되려는 희망을 품지 않는다. 설레는 비전도 없고 가슴도 뜨겁지 않다. 그러나 진짜 부자 마인드를 품은 사람은 크고 더 높은 뜻을 세운다. 그리고는 멈춤 없이 꾸준히 크고 확고한 뜻을 이루기 위해 노력한다.

결국 그 뜻은 현실이 된다. 확신하라, 큰 부를 기대하라. 큰 뜻을 품으면 큰 인물이 될 수 있다.

독특한 교육

세계에서 가장 지혜롭다는 유대인 엄마들이 아이들에게 내는 수수께끼다.

"집이 불타고 재산을 빼앗기는 상황이 왔을 때에도 안전하게 지킬 수 있는 재산이 뭘까?"

힌트를 주자면, 그것은 모양도 색도 냄새도 없다.

.

.

.

… 답은 '지적(知的) 재산'이다.

'경제(Economy)'의 의미는 적은 것이 실은 더 많은 것이다. 즉 경제는 최소한으로 최대한을 이끌어 낸다는 의미이다. 물론 사전적 의미는 재화를 생산하고 소비하는 인간행위를 말한다. 그래서 미국의 철학자 시인 헨리 데이비드 소로(Henry David Thoreau, 1817-1862)는 경제적 관점의 유명한 말을 하였다.

"단순화하기, 단순화하기, 단순화하기."

저명한 아인슈타인, 프로이트, 그리고 마르크스를 모르는 사람이 없을 것이다. 이들은 20세기를 빛낸 3인으로 미국 최대의 시사주간지 〈US뉴스 앤드 월드리포트〉에서 선정했다. 사실이 그렇다. 그런데 인류사에 큰 발자취를 남긴 이 인물들이 모두 유대계 리더들이라는 것이다. 하지만 더 놀라운 점은, 현재도 여전히 더 넓고 깊게 부의 영역을 만드는 중이라는 사실이다.

그렇다면 유대계 리더들의 진짜 부의 비밀은 무엇인가?

종합해보면 그들만의 독특한 교육 때문이었다. 양적으로 더 많이 공부하는 것이 아니라 질적으로 '더 다르게' 더 나아가 '더 독특하게' 차별화해 교육한다. 즉 IQ(지식)에 맞춘 교육이 아니라 'EQ(감성) AQ(역경) NQ(관계)'에 집중하는 교육 말이다. 많이 가르치는 것이 아니라 제대로 생각하는 창의적 기본을 가르친다. 암기에 치중하는 것이 아니라 실천교육에 중점을 두고 질문과 토론, 독서와 발표, 창의적 생각 나눔을 중시한다. 그래서 절대로 말없이 듣기만 하는 학습은 거부한다. 유대인의 교육에서 제일 강조하는 덕목 역시 토론과 질문을 던지는 자세이다. 그리고 모두 깊게 생각하는 창의성에 초점을 맞추었다.

더 새롭고 독특하게

사실 언제나 '익숙함'의 끝에는 고정관념이 자리를 잡고 있다. 새로운 것이 들어올 수 없도록. 흔히 다른 것(different)은 틀린 것(wrong)이 아니라고 말한다. 이는 자기만의 차별화된 스타일(style)을 의미하기 때문이다. 즉 나름대로의 향기며 색깔이고 개성이자 무늬이다. 그런데 이를 잘 다듬으면 경쟁력이 될 수 있다. 더욱 깊고 넓게 갈고 닦으면 나만의 차별화된 브랜드가 된다. 이는 더 좋으려고(good), 더 잘하려고(great) 하기보다, 더 다르려고(different), 더 독특하게(unique) 했기에 강점이 된 것이다.

그러므로 끊임없는 창의적 혁명은 크든 작든 내가 몰랐던 면을 일깨워서 남들과 다른 나만의 강점을 만들어낸다. 시도와 도전이 많을수록, 실패의 경험이 있을수록 내 능력은 발전할 가능성이 크다. 다음의 슬로건을 큰 소리로 읽어보자.

'더 좋으려고 하기보다, 더 다름을 뛰어넘어 더 새롭고 독특하게.'

요지를 한 번 더 정리하면, 좋으려고 하는 것은 기존의 노선에서 좀 더 나은 것을 향해 뛰는 것이다. 예를 들어, 내가 1,000미터 경주에서 그 동안 5분에 뛰었다면, 더 노력해서 4분 30초에 뛰는 것이다. 그러나 더 다르다는 것(different)은 더 독특하게(unique) 부단히 훈련해서 전혀 새로운 방식으로 누구도 시도하지 않은 혁신적인 전략으로 뛰는 것이다. 이는 어떤 한계 때문에 도전해보지 않은 새로운 방식으로 더욱 집중하여 창의적 결과를 만들어 낸다. 그러므로 새로운 방식, 다름, 차별화에 더욱 관심을 가지고 집중하라. 각각의 창의성과 다양성은 기적을 만들어낸다. 그래서 나는 "I'm different(나는 다르다)"라는 말을 아주 좋아한다.

최근 다르고 차별화 때문에 힘들어 했던 적이 있는가?

나는 무엇이 현저하게 다른가? 나의 뚜렷한 무늬는?

또 독특한 창의적 아이디어가 있었다면 주저 없이 그 가치와 강점을 적고 나누어보자.

살아가는 힘

욕망 덩어리 인간

당신은 세계 최대의 야망을 가질 수 있는 사람이다.

달을 정복할 야망을 가져라.

그런 당신의 야망이 실현되지 못하도록

막을 사람은 아무도 없다.

한 사람을 제외하고는 그것을 막을 사람은 하나도 없다.

당신이 바로 그 사람이다.

_ 찰스 로스

미국 올란도에 있는 디즈니랜드에는 다음과 같은 말이 새겨져 있다. "꿈을 꿀 수 있다면 그것을 할 수 있다(If you can dream it, you can do it)." 콩나물이 물을 먹고 살고, 프로선수가 인기를 먹고 살듯이 사람들은 꿈을 먹고 산다. 꿈을 품으면 강력한 힘을 발휘한다. 존 세인트 오거스틴도 "꿈의 크기만큼 도전할 세상의 크기도 커진다"라고 말했다.

철학자 니체는 인간의 욕망을 '푸줏간 앞의 개'에 빗대서 표현했다. 눈앞의 고기를 먹고 싶은 욕망과 푸줏간 주인의 시퍼런 칼이 두려워서 전진할 수도 없고 후퇴할 수도 없이 하염없이 머뭇거리는 한 마리의 개가 눈 앞에 그려지는 표현이다.

네덜란드 유대인 철학자 스피노자는 〈에티카〉에서 "욕망은 인간의 본질"이라고 정의했다. "욕망이 없는 인간은 인간이 아니다." 즉, 죽은 인간이라는 의미이다. 유대교 지도자를 '랍비'라고 부르는데, 이는 '선생'이라는 의미이다. 보통 이름 앞에 랍비를 붙여서 부른다. 유명한 랍비 이삭 루리아는 '욕망은 날마다 새 힘으로 무장하고 인간을 찾아온다'라고 말했다.

여기서 욕망(慾望)을 '육욕'만을 의미하지 않는다. 꼭 부정적으로 생각하지 말라. 한자 욕(欲 하고자할 욕)을 자세히 들여다보면 하품

'흠(欠)'과 골짜기 '곡(谷)'으로 구성되어 있다. 하품은 입을 벌려 길게 숨을 쉬는 동작이다. 골짜기 곡은 갈라진 틈과 입 구(口)로 이루어져 있다. 즉 욕(欲)이라는 글자는 '음식을 앞에 두고 입을 벌린다'는 왕성한 식욕을 상징하고 있는 것이다. 자신의 소유물로 삼고 싶어 사물을 자기 쪽으로 강하게 끌어당기려는 것이 욕망이다. 그러므로 욕망은 꿈과 희망의 다른 말이다.

이러한 의미에서 인간은 한마디로 '욕망 덩어리'로서 아무런 욕망이 없다면 그 사람은 죽은 것과 다름없다. 욕망은 인간의 중요한 살아가는 힘이다. 시나리오 작가 아인 랜드는 '그 무엇도 되고 싶지 않다는 욕망은 존재하고 싶지 않다는 욕망과 다름없다'라는 말을 하였다.

간절한 바람은 욕심이 아닌 살아가는 힘, 욕망을 갖고 살아가라. 인간은 살아 숨 쉬는 한 욕망에서 벗어날 수 없다. 독일의 문호 괴테는 걸작 〈파우스트〉에서 "아, 내 가슴 속에는 두 개의 영혼이 살고 있구나!"라고 기록했다.

우직함의 힘

흔히 성공한 사람은 남과 다른 선천적인 재능을 갖고 있다고 생각한다. 과연 그럴까?

시카고대학교 교육학 교수인 벤자민 블룸(Benjamin S. Bloom)은 5년간의 연구 결과, 다양한 분야에서 성공한 사람들의 공통점은 놀랍게도 특별한 재능이 아니라 타의 추종을 부러워하는 과감한 결단성과 불굴의 추진력이었다. 풀이해 말하자면 이들은 우직함의 힘을 갖고 있었던 것이다.

바야흐로 4차 산업혁명 시대의 특성인 꿈, 상상력, 모험, 우직함, 꾸준함, 정직, 창의, 감각 등 결정적으로 중요시되고 있다. 애플의 창업자 스티브 잡스도 2005년 스탠퍼드대 졸업식에서 '항상 바보스러우려고 노력하라(Stay Foolish)'라는 연설로 21세기 창조경제에서 우직함의 중요성을 다시 강조했다. 즉, 21세기에서 꿈과 상상력, 창의적 모험은 경쟁우위의 핵심 원천인 현명한 바보스러움(sensible foolishness)이다.

'우직함, 꾸준함'을 말한 스티브 잡스의 말에 백번 공감한다. 때로는 기존의 생각과 전혀 다른 발상과 선택이 큰 수혜를 얻는 경우가 많다. 모든 창의적 창출은 모두 다름의 결과였다. 미래사회도 여전히 단순 스펙 등은 참고사항일 뿐이다. 가장 중요한 자질은 세운 꿈을 향해 꾸준함으로, 우직하게 나아가는 힘이다. 결코 안주하지 않고 끝없이 도전하며 개선하는 것을 주저하지 않는다. 그러므로 꿈, 관찰력, 상상력, 모험심, 그리고 열정이 어우러져 엮어내는 우직함과 혁신적 창의성이 더 가치 있는 자원이다. 꾸준함과 우직함은 또 다른 성공의 인품(人品)이다. 위대함이며 창의적 기적을 만들어내는 힘이다.

유대인 벤 엘리에제르의 말이다.

"진리는 길바닥에 떨어진 돌멩이처럼 어디에나 흔하게 있다. 그런데 돌멩이를 줍기 위해서는 몸을 구부려야만 한다. 문제는 사람들이 그 진리를 줍기 위해 허리를 구부리는 일조차 하지 않는다는 것이다."

이는 아무리 좋은 계획과 꿈을 가지고 있더라도 행동하지 않으면 그 무엇도 이룰 수 없다는 의미이다.

미국 템플대학 창시자 러셀 코웰 박사가 미국에서 백만장자로 성공한 4,043명을 조사한 결과 아주 흥미로운 공통점을 발견했다. 그 성공자들에게는 두 가지 분명한 철학이 있었는데, 첫째는 목적이 아주 분명했고, 둘째는 목적을 위해서 최선을 다했다는 점이다. 바로 어떤 재능이 아니라 최선을 다하는 우직함이었다.

사유(思惟)하는 인간

사유하는 기술

> 자기 자신을 아는 것이 지혜의 시작이다.
>
> _ 아리스토텔레스

한 연구에 따르면 마라톤 풀코스(42.195km)를 보통 사람이 3시간 이내에 들어오기가 그리 쉬운 일이 아니라고 한다. 그러나 실제로는 평범한 다수의 사람들이 풀코스에 도전하여 완주하고 3시간 내에 들어온다. 그러면 성취한 사람과 성취하지 못한 사람의 결과는 무엇 때문에 생겨난 것일까? 이는 육체적 차이일까, 아니면 정신적 차이일까?

연구 결과는 정신적, 즉 마음먹기가 중요했다는 것이다.

요즘처럼 건강에 관심을 많이 가졌던 시대도 없을 것이다. 특히 100세 시대는 건강에 더 신경을 많이 쓴다. 몸을 아주 귀하게 관리하고 보호한다. 그런데 모든 질병이 생기고 몸을 상하게 되는 것은 마음에서부터 시작된다.

한 번은 인문학 학습을 하다가 고전 명의 〈소문(素問)〉이라는 책을 보게 되었다. 기원전 1-2세기에 쓰여 진 고대 중국 의학 교과서이다. 이 〈소문〉에는 '감정과 장기의 관계'가 기록되어 있어 소개한다.

- 분노는 간을 상하게 한다.
- 과도한 즐거움은 심장을 상하게 한다.
- 지나친 생각은 비장을 상하게 한다.
- 슬픔은 허파를 상하게 한다.
- 공포는 신장을 상하게 한다.
- 마음이 아프면 몸이 아프다.

한마디로 건강도 마음먹기에 달렸다.

사유(思惟)하는 기술이 질병도 능히 이긴다. 철학자 데카르트는 사유란 의심하고, 이해하며, 긍정하고, 부정하며, 의욕하고, 의욕하지 않으며, 상상하고, 감각하는 것이다. 즉 의지, 상상, 감각도 사유의 한 부분이라고 보았다. 칸트는 사유(지성)와 감성의 인식 형식들의 상호의존적인 성격임을 말했다. "나는 생각한다. 고로 존재한다." 즉 존재인식을 이끌어냈다.

호모 사피엔스

현생인류에서 '생각하는 인간'이 '호모 사피엔스(Homo Sapiens)'이다. 어원은 라틴어로 '지혜가 있는 사람'이라는 뜻이다. 그래서 인간은 생각하기 때문에 미래를 내다볼 수 있다. 앞으로 미래사회는 잔머리를 굴리어 성공할 수 없다. 이는 생각하는 엘리트 마인드가 아니다. 잔머리를 쓰는 대신 이기는 창의적 마인드를 써야 한다. 얄팍한 기법 말고 창의적 기본기를 익혀야 한다. 위기의 시대를 극복할 수 있는 새로운 돌파구이자 비결은 바로 '후츠파(당돌하고 뻔뻔함, 주제넘지만 당찬 모습, 엉뚱하지만 놀라운 용기)'적 마인드뿐이다. 즉 인간이해와 창의적 상상력에 달려있다. 이는 격(格)이 한 단계 높아져 구루(guru)가 된다. 여기서 구루는 전문가를 의미한다.

철학적 물음으로 "나는 누구인가?" "나는 왜 살며 일하고 있는가?" "나는 어디에서 와서 어디로 가고 있는가?" 즉 철학은 한마디로 사유(思惟)하는 기술이다. 흔히 '팡세, 시골 친구에게 보내는 편지' 책의 저자를 말하면, 프랑스의 수학자이자 철학자인 블레즈 파스칼(Blaise Pascal, 1623-1662)로 알려져 있다. 그는 철학과 신학에 더 많은 시간을 투자했다. 그의 〈팡세〉 중에서 인간은 자연 가운데서 가장 약한 하나의 갈대에 불과하다. 그러나 그것은 '생각하는 갈대'라고 말하지 않았는가? 즉, 인간은 생각하는 힘을 지녔기 때문에 고귀하고 위대한 것이다. 그러므로 우리는 모두 생각하는 존재들이다. 진화한 호모 사피엔스처럼 말이다.

나는 파스칼의 철학이 담겨 있는 글귀를 참 좋아한다. 본래 인간은 자연에 나약하지만 사고(思考)가 있고 생각할 줄 알기 때문에.., 그래서 여러 어려움을 극복할 줄 알기 때문에.., 자연이나 우주라는 거대한 물체도 나약한 인간이 싸워서 이기고 지배할 수 있다는 거다.

명심하라. 당신은 세상에서 가장 뛰어난 사유(思惟)하는 인간이기에 더욱 멋진 것이다.

어프리시에이션!

현대 경영학의 아버지 피터 드러커는 말하기를 "경영은 일을 올바로 하는 것이고, 리더십은 바른 일을 행하는 것이다."

스트레스 분야의 세계적 권위자인 미국 스탠포드 대학교 생물학과 로버트 새폴스키(Robert M. Sapolsky) 교수는 그의 저서에서 '스트레스: 당신을 병들게 하는 스트레스의 모든 것.'이라고 말했다. 스트레스의 대가하면 한스 셀리(hans seyle-뇌분비학자) 박사로 오스트리아-헝가리 제국의 수도이던 빈에서 태어났다. 그는 1958년 최초 스트레스 연구로 노벨 의학상을 받았고, 고별 강연을 하버드 대학에서 강의했다. 강연이 끝나자 기립 박수를 받으면서 셀리 박사가 퇴장하는데 한 학생이 길을 막고 물었다.

"선생님, 우리가 스트레스 홍수 시대를 살아야 하는데, 스트레스를 해소할 수 있는 비결을 딱 한 가지만 이야기해 주십시오."

그러자 셀리 박사가 딱 한 마디를 했다.

"어프리시에이션!(Appreciation!)", 즉 '감사하며 살라'는 말이었다. 범사에 감사하며 사는 것이 최고의 삶이다. 그저 평범한 속에서도 감사하고 당연한 것에 감사한다. 심지어 몸이 아플 때조차도 감사할 수 있어야 한다. 삶이 메마르고 영적으로 침체되어 실패하는 사람들의 공통점은 그들의 생활에 '감사'라는 단어가 빠져 있다고 한다.

내 기준이지만, 성공한 사람들의 정신적 공통점은 무엇일까?

그들은 범사에 감사한다는 것이다(살전 5;18). 그런가하면 성공한 사람들이 가장 많이 얘기하는 것으로 8가지가 있었다.

⑴긍정적으로 생각한다. ⑵작은 것에 감사한다. ⑶정직하고 성실하다. ⑷포기하지 않는다. ⑸목표를 설정한다. ⑹좋은 습관을 만든다. ⑺끊임없이 노력한다. ⑻항상 배운다.

한마디로 모든 것이 감사할 뿐이다. 무엇보다 부의 마인드를 갖게 되니 감사하다. 특별히 미래혁명을 읽고 준비할 수 있어 기쁘다.

패러독스(paradox)

세상을 바꾼 사람들은 자질부터 다르다. 놀랍게도 구글의 기업 모토가 "악한 일을 하지 말자"라고 한다. 구글의 창업주 세르게이 브린은 이런 말을 하였다. "지난 7년 동안 우리가 성공에 가장 기여한 요소는 행운이었다." 구글의 테크놀리지 책임자인 크레이크 실버스타인은 말하기를 "앞으로 나아갈 길이 얼마나 먼지 알기에 우리는 겸손할 수밖에 없다." 구글이 주는 교훈은 한마디로 패러독스(paradox)다. 이는 영어로 '반대', '거스름'을 뜻하는 'para'와 상식적 견해를 뜻하는 'doxa'가 합쳐져서 만들어진 것이다. 다시 말해서 패러독스는 상식적으로 어긋나는 견해나 주장, 역설을 말한다.

구글의 창업주 래리 페이지와 세르게이 브린이 주는 몇 가지 교훈을 더 살펴보면 다음과 같다.

먼저 그들은 돈이 아닌 탁월한 성과를 내는 인재에 초점을 둔다. 다음으로, 일을 재미있게 즐긴다. 재미있고 즐거운 것이라면 다른 이들도 기꺼이 당신의 일을 지지할 것이다. 세 번째로 악한 짓을 하지 말자. 최소한 정직하고 공정하게 사업을 수행하려고 최선을 다하자. 그것은 쉽지 않은 일이지만 분명 바람직한 대망이다. 그리고 호기심을 가지라. 구글은 끊임없이 질문하고 정답을 찾기 위해 철저하게 탐구한다. 또 그들은 상상력을 동원한다. 즉 있을 수 있는 모든 것을 생각하되 크게 생각한다. 무엇보다도 그들은 배짱이 크고 자신들이 옳다는 걸 알면 주저하는 법이 없다. 강한 긍정적 자세가 그들을 앞으로, 더 앞으로 밀어주었다.

최상급의 준비

"시대를 만난 아이디어만큼 강력한 것은 없다." 〈레 미제라블〉을 쓴 프랑스 작가 빅토르 위고가 한 말이다. 변화와 경쟁의 속도가 빠른 현대 사회에서 당신이 앞서가지 않는다면, 계속 뒤처질 수밖에 없다. 내가 좌우명처럼 삼고 있는 말이 '성공은 타고나는 게 아니라 만들어진다.' 개인과 기업의 성과는 우선적 100퍼센트 가능하다고 믿는 긍정의 마인드에 달려 있다. 왜냐하면 정신이 신체와 환경을 지배해왔기 때문이다.

자동차 왕 헨리 포드(Henry Ford, 1863-1947)도 같은 말을 하였다.

"당신이 할 수 있다고 생각하든 할 수 없다고 생각하든 당신의 생각은 항상 옳다."

이솝우화의 '개미와 베짱이' 이야기를 다 알고 있을 것이다.

겨울이 되자 모아둔 양식이 없는 베짱이가 개미에게 음식을 구걸하러 간다는 이야기이다. 그러나 베짱이가 여름 내내 게으름만 피운 것은 아니었다. 하루하루 먹을 것은 벌어가면서 놀았다. 단지 다가올 겨울에 먹을 식량을 비축해두지 않은 게 문제였다. 그러나 개미는 그날의 양식을 구할 뿐 아니라 겨울에도 먹을 양식을 비축하여 또 하나의 창조적이며 미래지향적 경제기반을 마련했다. 결국 개미는 겨울을 여유롭게 지낼 수 있었다.

우리도 지금 하는 일에 충실하되 미래를 생각하는 눈을 갖고 미래지향적 준비를 갖추어야 한다. 안 그러면 베짱이 같은 운명이 될지도 모른다. 오늘부터라도, 당장 틈틈이 시간을 쪼개어 미래를 튼튼히 해놓고 또 다른 기반을 다져놓아야 된다.

이것이 바로 성공의 토대를 만드는 순서이다. 이는 격차를 줄여 4차 산업혁명의 새로운 물결에 올라타게 한다. 깨달은 즉시 행동으로 옮기기를 간절히 바란다. 찾아온 기회를 놓치지 않기를 말이다. 앞으로 당신의 삶은 최상급 준비에 의해 좌우된다.

원대한 상상력의 사회

꿈에 감성의 옷 입히기

'나는 무엇이다' 하고 생각한 그대로의 그 무엇이 되는 것이다.
상상력은 승리자가 되는 최초의 가장 중요한 단계이다.

_ 디오도어 루빈

그리스 신화에 나오는 헤라클레스는 머리가 9개가 되는 큰 물뱀
히드라의 목을 자르겠다는 잘못된 전략을 버린다. 히드라의 문제
는 하나의 목을 베면 그 자리에서 두 개가 새로 돋는 것이었다. 그

러니 히드라 물뱀을 없앤다는 것은 불가능한 일이었다. 하지만 핵심 전략을 세운 헤라클레스는 먼저 심장에 칼을 꽂고 히드라의 목을 벤 다음, 새로운 머리가 돋아나기 전에 횃불로 지지는 방법을 사용해 결국 히드라를 죽였다.

유대인들의 구전으로 내려오는 경전 탈무드(Talmud)에는 "당신의 꿈은 당신을 가장 아름답게 꾸며주는 최고의 옷."이라고 가르친다. 당신의 생생하고 확고한 꿈과 목표는 미래의 부를 만드는 창의적 원동력이 될 것이다. 대표적인 예로, 기업 구글은 미래사회를 위해 인간이 상상할 수 있는 모든 것들을 하나하나 현실화시키고 있다.

구글의 창업자 래리 페이지(Larry Page 1973-)는 어릴 적 발명가를 꿈꿨다. 그의 아버지는 틈날 때마다 발명가를 꿈꾸는 아들을 미국 전역으로 데리고 다니며 컨퍼런스, 박람회, 유명한 사람과 만남 등 많은 경험들을 갖도록 도와주었다. 훗날 래리 페이지는 어릴 적 그런 경험들이 더 많은 가능성을 꿈꾸게 했다고 회고했다.

IT기술에 감성의 옷을 입힌 페이스북의 창업자 마크 저커버그 (Mark Zuckerberg 1984-)는 '공감(좋아요)' '공통(댓글)' '공유' '간결한 글' 이라는 기능을 통해 감성이 소통하게 만들었다. 그것이 시인이나 감성적인 사람들이 페이스북에 득세하는 이유이다. 다 알고 있듯이 페이스북의 장점은 사용자들이 글이나 사진, 영상 등 콘텐츠를 마음대로 올리고 빠르게 공유할 수 있다는 점이다. 역시 마크 저커버그의 성공 뒤에도 부모의 영향이 컸다. 어릴 적부터 좋아하는 컴퓨터 언어를 가르쳤고, 대학의 강의에도 아이를 데리고 다녔다. 그리고 그는 꿈이 생겼다. 누구나 쉽게 정보를 공유할 수 있는 애플리케이션을 만드는 것이었다. 결국 누구도 시도하지 않은 그의 꿈과 창의적 상상력대로 IT에 감성의 옷을 입혔다.

이스라엘 저력의 요인

역사적으로 1948년 5월 14일 금요일 이스라엘이 잃었던 나라를 다시 건국되었다. 이는 2천 년 만에 이룬 대망의 이스라엘 건국이었다. 당시 유대인 인구는 80만 정도였다. 이러한 작은 이스라엘 (당시 5만 6000명, 우리나라의 강원도의 면적과 비슷함) 나라가 하이테크와 IT분야, 교육과 금융, 사업과 과학 분야에서 세계적 경쟁력을 갖추게 된 비결을 무엇이라고 보는가?

그들은 창의성을 보다 우선시했다.

4차 산업혁명 시대는 창의성이 주도하고 IT에 감성을 입힌 창조경제다. 즉 기업과 개인의 원대한 상상력과 창의적 확고한 꿈이 경제 동력이 되었다. 대표적으로 이스라엘은 미래의 하이테크 기술과 바이오 산업을 주도하고 있다. 지금 우리가 사용하고 있는 USB 메모리도 이스라엘 장교 출신의 작품이다. 최고의 세계특허, 지식재산권, 자동차 및 모바일, 우주과학, 교육 등 신기술을 가지고 있다. 세계에서 과학자나 기술자들이 가장 높은 비율로 차지하고 있는 나라도 이스라엘이다.

이스라엘은 이러한 혁신에 대하여 확실한 대가를 지불했다. 나라가 건국되기 무려 30년 전의 일이다. 제1차 세계대전이 끝난 직후인 1918년에 전쟁의 폐허로 인구도 몇 안 되는 황량한 예루살렘에 미래를 내다보고 히브리대학을 세운 것이다. 교육에 대한 집념이었다. 노벨 물리학상을 받은 아인슈타인은 1924년 북부 항구도시 하이파에 테크니온 공대를 설립했다. 아직 나라도 건국되지 않았는데 말이다. 학생들의 80-90%가 창업에 도전할 정도였다. 초대 총장 아인슈타인 박사는 미래에 이스라엘 생존의 길은 전문 기술개발 밖에 없다며 기술 연구 개발의 중요성을 강조했다. 이스라엘 와이즈만 연구소는 석사 과정에 입학하면, 반드시 1년간 자신의 전공이 아닌 다른 학과의 수업을 들어야 한다. 이러한 교육은 무엇보다도 학생들의 서로 다른 시각과 생각의 폭을 키울 수 있게 한다. 결국 질문과 토론 방식의 교육은 학생들의 호기심을 키웠고 융합과 창의력도 길렀다.

사실상 유대인의 저력은 높은 교육 수준과 창의적 연구에서 비롯되었다. 그리고 남다른 교육열이 미래의 창을 여는 열쇠가 되었고, 그들은 아이에게 "남보다 뛰어나라"고 하지 않고 "남과 다르게 되어라"고 가르친다.

"물고기를 잡아 주면 하루를 살 수 있지만 물고기 잡는 법을 가르치면 일생을 살 수 있다."

– 유대인 속담

5부

창조적이며 진취적인 민족

인류 최고의 장사꾼

지성적 장사꾼

순자의 상상(常常)

굳은 뜻이 없는 사람은 밝은 깨우침이 없을 것이며,

묵묵히 일하지 않는 사람은

뛰어난 업적을 이루지 못할 것이다.

_ 순자

중국 유가 사상가 순자(荀子)가 말한 4민론(四民論)을 아는가?

4민론은 경제학의 아버지로 불리는 애덤 스미스(Adam Smith,

1723~1790)가 〈국부론〉에서 역설한 분업론과 취지를 같이한다. 4민론은 '농농(農農), 사사(士士), 공공(工工), 상상(商商)'이다. 순자는 모든 신분이 만족하는 평등을 '지평'으로 표현한 것이다. 또한 순자의 4민론은 고대 그리스 철학자 아리스토텔레스의 배분적 평균 주장과 취지가 같다. 또 기본적으로 공자(孔子)의 '군군신신(君君臣臣: 군주는 군주답고, 신하는 신하답고, 아비는 아비답고, 자식은 자식다워야 한다)' 사상과 맥을 같이한다. 논어 〈안연〉에 따르면 하루는 제경공이 공자에게 정치에 관해 묻자 공자가 이같이 대답했다.

"君君臣臣".

4민론에서 가장 눈에 띄는 것은 '상상(商商)'이다. 이는 항상 '상(常)'을 써서 '늘, 항상(恒常)' 즉, '장사꾼은 장사꾼다워야 한다'는 뜻이다. 즉 철저한 상인 정신을 의미한다.

실학자 이익(李瀷)은 그의 저서 〈성호사설〉에서 개성상인의 상인 정신을 특별했음을 말하고 있다. 개성상인은 개성출신 사대부로서 관료에의 진출을 포기하고 상업에만 종사한 사람을 일컫는 말이다. 이들이 상업에 종사하게 되면서 국내의 어느 상인 계층보다 지식을 갖춘 높은 수준의 상인이었기에 자연히 상술이 뛰어나 크게 성공할 수 있었다. 앞으로 지성적 장사꾼이 부자가 되는 세상이다.

지중해를 장악한 장사꾼

기원전 1300년경 당시로는 어려울 정도로 창조적이며 진취적인 민족들이 지중해 지역 가까이서 함께 살고 있었다. 이들은 태생적으로 사고방식이 절대 봉건주의에 얽매이지 않고 자유로웠고 진보적이고 개방적이었다. 무엇보다 세계를 발전 가능한 대상으로 인식했다. 이들은 인간의 자유로운 삶이 중요하다고 생각했다. 게다가 진취적인 기상으로 개척에 대한 도전의식을 갖고 있었다.

이들이 누구였으며 어떤 사람들이었을까?

이들은 진취적인 사람들로 불리어진다. 특히 부(富)를 축적하기 위해 지중해로 눈을 돌렸다. 역사에서 지중해 주변은 어떠했는가?

성경 책에 보면 "다시스의 배들이 바다를 건너 너의 물품들을 실어 날랐다."(에스겔 27:25) 여기 '다시스'는 오늘 날 스페인 남부를 의미한다. 이들은 소금, 포도주, 말린 생선, 실삼나무, 소나무, 백향목, 금속 제품, 유리, 금, 철, 자수품, 고운 아마포, 유명한 티레산 자주색 염료로 물을 들인 옷감 등을 거래하였다. 또 예언자 에스겔은 이렇게 말한 적이 있다. "스페인이 너와 무역을 하였다. 그들은 은과 쇠와 주석과 납을 가지고 와서 너의 물품들과 바꾸어 갔다."

(에스겔 27:12, 새번역성경)

고대 최고의 장사꾼은 누구라고 생각하는가?

고대에 황소 한 마리 값어치의 수출 품목은 무엇이었을까?

귀족과 성직자들이 가장 선호하는 색깔은 무슨 색이었을까?

기원전 10세기경 고대의 지중해에서 해상무역의 배를 건조할 수 있는 조선기술과, 배를 운항하는 항해술, 게다가 바다 전체를 볼 수 있는 지표 능력을 갖추어 지중해의 상권을 장악했던 상인들은 누구였을까?

혹 떠오르는 장사꾼이 있는가?

이들은 참으로 고대 최고의 상술을 갖춘 프로들이었다. 그들은 이러한 기술로 엄청난 부(富)를 축적할 수 있었다. 이 상인들은 장사로 돈을 벌 수 있는 모든 것을 다 갖추었다. 바로 고대 페니키아인이다. 그들의 조선기술에서 전투를 목적으로 만든 전투선과 수송선의 그림을 보면 알 수 있을 것이다.

페니키아인들은 진취적인 해상 무역 문화를 이루었다(B.C. 1200-900).

페니키아, 고대 전투선 과 수송선
(페니키아는 고대 가나안 북쪽에 근거지를 둔 고대 문명국가이다)

페니키아 전투선은 선수가 뾰족하고 선미는 꼬리 모양으로 되어 있다. 특히 선수 하부에 예리한 충각(ram)을 가지고 있었다. 고대 해전은 배를 서로 맞붙여놓고 적선에 기어올라 백병전으로 하든지, 적선의 옆구리를 충각으로 찔러 침몰시키는 2가지 전술로 싸웠다. 그러므로 고대 전투선은 모두 선수 충각을 가지고 있었다. 이러한 충각은 배로부터 유래되었다. 우수한 조선기술과 항해술이 뒷받침되었기에 지중해 전역을 장악하여 해상교역을 석권할 수 있었다. 당시 지중해를 '페니키아의 호수'라고 말할 정도였다.

　페니키아인들은 고대사에 등장하는 강력한 해상 상업 민족이다. '페니키아'라는 말의 원래 뜻도 명확하지 않아 자주색 염료를 가리킨다는 설도 있고, 향신료 종류나 대추야자나무 열매를 가리킨다는 설도 있다. 대체로 기원전 1200년경에 이르면 이들은 유능한 선원이자 상인으로서 널리 알려지게 된다. 그들의 뛰어난 항해술로 지중해를 자신들의 호수처럼 활용했기에 가능했다. 진취적인 페니키아인들은 뛰어난 항해술로 최고의 번영을 누리게 된다.

　진취적인 장사꾼은 미래만 예측하는 것이 아니라 자신들에게 맞는 미래를 발견하고 미래사회 트렌드를 읽고 협업하는 것이다.

천부적인 상인정신

화비삼가(貨比三家)

반짝이는 것이 다 금은 아니다.

그대는 이 말을 자주 들었으리라.

수많은 사람들이 내 겉모양에 홀려 그 숱한 생명을 팔았느니라.

황금으로 도금된 무덤 속엔 구더기가 우글댄다.

_ 베니스의 상인 2막 7장 65–69

나는 중국인들의 치열한 상인정신을 한마디로 악착같은 근성 때문이라고 본다. 그들에겐 다음의 남다른 세 가지 근성을 가지고 있었다. 첫 번째로, 사람을 다루는 능력이다. 현대 중국인들에게 가장 존경받는 지도자 마오쩌둥은 "사람을 다룰 수 있다면 그만한 기쁨은 없다"고 하였다. 두 번째로, 부자는 변화에 대처하는 방법이 다르다. 중국인들에게 스스로 자신의 이익을 지켜야 한다는 것이 마치 유전자 속에 들어있는 것처럼 보였다. 마지막으로 성실과 신뢰는 모든 사업의 근본이다. 중국인은 천성적인 장사꾼이다. 그들에게는 중요한 속담이 있는데 '화비삼가(貨比三家)'이다. 즉 '가격은 세 군데 이상 비교한다'는 것이 몸에 배어 있다.

나스닥에 상장하면서 세계 최대 온라인 게임업체가 된 텐센트 마화텅(馬化騰, Pony Ma) 회장은 조용히 실속을 챙기는 '도광양회(韜光養晦, 자신의 재능이나 명성을 드러내지 않고 때를 기다리며 실력을 기른다)'의 리더십을 보여주었다. 마화텅 회장은 알리바바 기업의 시가총액을 앞질렀고, 인터넷 전문은행 위뱅크(webank)를 출시하여 중국 O2O 혁명(Onlie to Offline)을 주도하였다. 텐센트 기업은 창조적 모방을 통해 매년 10배 이상 고속 성장을 거듭해왔다. 그런데 텐센트의 최대주주는 놀랍게도 지분의 33.6%를 보유한 남아공의 언론 재벌 내스퍼스(Naspers)다. 중국인 창업자 마화텅의 지분율은 고작 10%에 불과하다. 사실상 주인인 내스퍼스의 가장 돋보이는 투자의 요인은 첫 번째 투자 이후 끝까지 버티고 팔지 않았다는 것이다. 15년 동안 단 한 주의 투자 지분도 회수하지 않았다. 어떤 유혹에도 흔들리지 않고 끝까지 버티기로 일관했다.

4차 산업혁명 시대에도 강인한 상인정신의 화비삼가(貨比三家)와 도광양회(韜光養晦)가 필요하다. 사업이든, 장사든, 설령 그것이 투자라 할지라도 나름 철저하고 세심한 상인정신이 있어야 한다. '성공에 왕도는 없다'라는 말이 있듯이 악착같은 근성으로 자신만의 길을 스스로 개척하며 나아가야 한다.

소그드 상인정신

비잔틴을 정복한 오스만 제국의 술탄 초상
(출처, 주간조선, 구글이미지)

영국의 수상을 지낸 윈스턴 처칠은 "지옥을 지나가고 있다면, 멈추지 말고 계속 가라"고 말했다. 고대 중앙아시아에서 실크로드의 상권을 실질적으로 지배하고 있던 사람들은 이란계 민족인 소그드 상인(Sogdiana merchants)이었다. 또한 그들이 사용하던 소그드어는 곧 국제 통용어이기도 했다. 그들은 단순히 교역활동에만 종사한 것이 아니라 동서양 문명의 교류라는 시대적 흐름을 파악하고 이를 능동적으로 중개하고자했던 글로벌 마인드의 소유자들이었다.

소그드 상인의 이름은 오아시스 비단길에 전설처럼 남아 있다. 오아시스 비단길의 교통 요충지를 근거지로 삼아 유라시아 동쪽에서 서쪽의 비잔틴제국까지 넓게 발자국을 새겨놓았다. 페르시아 상인이나 아랍상인과는 사뭇 달랐다. 소그드 상인의 상인정신은 한마디로, '한 푼의 이익을 가지고도 서로 다투며 이익이 나는 장사라면 가지 않는 곳이 없다.' 소그드 상인은 참으로 상인정신이 투철했다. 한 예로, 아이들이 태어나면 달콤한 언어를 구사하도록 입에 꿀을 발라줬으며, 한 번 쥔 돈은 절대 새나가지 않게 손에 아교를 발라주었다.

이처럼 성공을 바라는 사람들에게 절실하게 필요한 것이 바로 소그드인의 상인정신이다. 그들은 물건을 거래하기 위해 의사소통에 필요한 방언도 능했다. 필히 소통력을 갖추어야 한다. 또 4차 산업혁명 시대에 미래의 부를 얻고자 한다면 바로 장사에 능한 소그드인의 상인정신을 모조리 배워야 하겠다.

철학을 가진 거부(巨富)

이 지침서가 대(大)거부(巨富) 거상(巨商)이 꼭 갖추어야 상인정신을 갖도록 안내해 줄 것이다. 그런데 거부가 되고 거상으로 활동하기 위해서는 먼저 초긍정의 마인드를 가져야 한다. 유명한 사자성어이며 공자의 말에서 유래한 "과유불급(過猶不及)"이 있지 않은가? 이는 '무엇이든 정도를 지나치는 것은 그것에 미치지 못하는 것과 같다'는 말이다. 넘치지도 모자라지도 않게 중용을 지키는 것이 중요하다. 인간의 끝없는 욕심을 경계해야 한다는 의미를 지니고 있다.

최인호의 소설 '상도(商道)'를 보면 조선의 거상 임상옥의 이야기를 볼 수 있다. 임상옥이 그토록 아꼈던 전설적인 술잔 계영배(戒盈杯)라는 잔이 있는데, 말 그대로 '가득참을 경계하는 잔'이라는 뜻이다. 70퍼센트 이상 술을 담으면 밑으로 흘러내리도록 설계되어 있다. 지나친 욕심을 경계하라는 의미를 담은 술잔이다.

거상 임상옥(林尙沃, 1779-1855)은 조선 중기 무역 상인이었다. 그는 계영배를 늘 곁에 두고 재물에 대한 욕심을 다스렸다고 한다. 그의 말을 보면 "잘나간다고 교만하지 말고 어렵다고 비굴하지 마

라. 있다고 거만하지 말고 없다고 업신여기지 마라. 때론 벙어리처럼 침묵하고 잡초처럼 자신을 낮추라." 바로 임상옥이 거부(巨富)가 될 수 있었던 장면이다.

임상옥은 빚을 갚기 위해 온 몸을 던져 더 열심히 일해야 했고, 힘들 때마다 입술을 깨물면서 "나도 돈을 모아 반드시 거상이 되고 거부가 되고 말 테다."라고 굳은 결심을 한다.

상상력의 거부

거부가 되는 창의적 상상력

상상력이 전부이다.

그것은 미래의 인생에서 펼쳐질 일들의 미리보기이다.

상상력은 지식보다 더 중요하다.

_ 아인슈타인

20세기 최고의 물리학자로 추앙받는 아인슈타인은 "상상력이 지식보다 더 중요하다"고 강조했다. 발명왕 에디슨은 "천재는 1%의 영감과 99%의 노력으로 이루어진다"는 명언을 남겼다. 이 말들에서 알 수 있듯이 그들은 발명을 하기 위해 엄청난 상상력의 노력을 했던 과학자들이다.

창의(創意)는 상상력(생각한 것을 그려내는 능력)을 통해 기존에 없던 것을 새롭게 만들어내는 개념이다. 그러므로 무한적 상상력은 거부가 되는 최고의 필수 자원이고 두뇌 계발의 병기이다. 아인슈타인도 이런 창의적인 상상력으로 상대성 원리라는 결론에 도달할 수 있었다. 즉 다른 사람보다도 더 깊이 생각할 수 있었기 때문이다. 그래서 그는 늘 지식보다도 상상력이 중요하다고 말했다. 상상력이야말로 과학 연구의 핵심이라고 생각하여 "상상하지 않으면 창의력이 생길 수 없다"고 하였다. 프랑스의 미디어 이론가 폴 비릴리오도 "상상력은 어린아이의 세계로 귀화하려는 성숙한 어른이 들어갈 수 있는 낙원"이라고 하였다.

이 책에서 계속하여 강조하는 단어가 바로 창의성(創意性, creation) 이다. 이는 하나하나의 생각과 의견이 모여 서로 협력하여 더 나은 아이디어를 찾아낸다. 재차 토론을 거듭하면서 새로운 상상력을 찾아가는 것이다. 그래서 애플의 창업주 스티브 잡스는 유명한 말을 남기었다. "창의성은 그냥 사물을 연결시키는 것이다." 즉 창의적인 아이디어는 전혀 무관한 사물들을 연결시킬 때 탄생한다며 기술에 인문학을 담았다. 그러므로 창의적 상상력이 필요하다.

이스라엘의 하이테크 기술력을 이끄는 이공계 인재의 70퍼센트를 배출하는 테크니온공대 총장은 의학 박사 출신이었다. 즉 서로 다른 학문 분야의 교류를 통해 융합하여 이루어내는 것이다.

유대인 속담에는 "통로를 향해 두 귀를 바짝 세워라"는 말이 있다. 더 나아가 "두 눈으로 본 뒤 두 손으로 잡아라"는 말도 있다. 우리 사회도 더욱 듣고 보고 잡는 창의적 인재가 가득해야 한다. 창의성을 중시하여 개발할 수 있는 환경이 마련되어야 하겠다.

고대 수메르와 인더스 경제, 그리고 페니키아가 지중해 해상무역을 장악했던 것도 자유와 경쟁이 보장되었기 때문이다. 즉 얽매이지 않고 자유로운 거래와 사고방식이 있었기에 가능했다.

우리 사회도 더 더욱 창의성이 활짝 꽃피울 수 있도록, 다름의 창업과 새로움을 펼칠 수 있는 장을 마련해 주어야 한다. 그러면서 토론과 독서, 긍정적 사고, 상상력, 그리고 질문과 나눔 문화를 생활화해야 한다. 그래야 창의성이 자라고 키울 수 있다. 이것이 창의적 삶을 즐기는 방법들이다.

하지만 왜? 어떻게?

"이봐, 해봤어?" 이는 현대그룹 창업주 정주영 회장이 실제로 생전에 간부들에게 입버릇처럼 했던 말이다. 한마디로 '안 되면 되게 하라'는 투철한 도전정신을 말하는 것이다. 반면 이스라엘 유대인들에게는 '후츠파 정신'이 있다.

학생 수가 국내 대학의 절반밖에 안 되는 이스라엘 히브리대학 출신들이 1년간 벌어들이는 특허 수익은 자그마치 10억 달러에 달한다고 한다. 우리 돈 2조 5천억 원에 이르는 엄청난 규모다. 이스라엘은 21세기 하이테크 경작을 가장 잘하는 나라로 자리매김하고 있다. 한 방문자가 히브리대학 총장에게 대학의 주된 성공 요인이 무엇이냐고 묻자 이렇게 대답했다고 한다.

"남이 얘기해 주지 않는 새로운 것을 찾는 것에 있어요. 같은 책을 보더라도 이렇게 묻는 거죠. '어제는 알지 못했던 새로운 무엇인가를 발견했나?'라고 말입니다."

그래서 히브리대학교 교수들은 늘 "다른 사람에게 없는 너만의 생각을 가지라"고 가르친다. 수업의 특징 역시 철저하게 학생 중심으로 이뤄진다는 것이다. 독서를 토대로 학생들은 질문과 토론, 발표를 하되, 도중 학생들에게 늘 던지는 질문들이 있다고 한다. "하지만 왜?(But why?)" "하지만 어떻게?(But how?)"

한마디로 빤한 것은 싫다. 빤한 정답보다는 남들이 흉내 낼 수 없는 나만의 것을 만들어 보겠다는 혁신적 자세이다.

우리도 이제 상상력과 창의적 도전의 거부가 되기를 바란다. 창의적 자세와 미래의 상상함이 그대로 현실에 부로 나타나게 된다.

확고한 신념

끝없는 도전 정신

> 누구나 세상을 바꾸는 것에 대해 생각하지만,
> 어느 누구도 자신을 바꾸는 것에 대해서는 생각하지 않는다.
>
> _ 톨스토이

경영학자 피터 드러커는 "성장하기 위해서는 자신이 하는 일에 의미를 부여하라"고 말했다. 사람은 자신이 성취하고 획득할 수 있다고 생각하는 바에 따라 자라고 성장하기 때문이다.

세계 최초 무지원 남극탐험 단독은 헨리 워슬리(Henry Worsley)이지만(실패했지만), 남극 탐험 사상 최초로 전 대원을 살린 20세기 최고의 탐험가는 영국인 어니스트 섀클턴(Sir Ernest Henry Shackleton, 1874-1922)이다. 1914년 12월 5일 어니스트 섀클턴은 28명의 대원들을 이끌고 사우스조지아 섬에서 남극으로 떠난다. 그런데 배가 얼음에 둘러싸여 침몰하게 된다. 섀클턴은 어쩔 수 없이 배를 버리고 얼음 위에서 1년이 넘는 시간을 보낸다. 그들은 고생 끝에 엘리펀트 섬에 도달한다. 결국 28명의 탐험대원 전원이 구조하게 된다. 이는 어니스트 셰클턴의 불굴의 용기와 끝없는 도전정신의 결과이다.

기자가 이들의 극적인 생존을 물었을 때, 섀클턴은 확고한 신념과 재빠른 판단력, 그리고 어려운 상황에서도 희망을 잃지 않은 덕분이었다고 하였다. 이는 리더에게 반드시 필요한 자질이다.

긍정의 리더십

'욕금고종(欲擒故縱)'은 병법 삼십육계(兵法 三十六計) 중 제16계 가르침이다. 적은 추격당해 퇴로가 막히면 맹렬한 반격을 가할 수 있다. 그러나 한 줄기 활로를 터주면, 오히려 그 기세를 약화시킬 수 있다. 추격할 때는 적을 바싹 뒤쫓기만 해야지 추월해서는 안 된다는 의미다.

중국의 삼국시대 촉나라의 재상 제갈량이 일곱 번 잡았다가 일곱 번 놓아주는 이른바 칠종칠금의 계략을 썼는데, 이것은 곧 그렇게 함으로써 남만족의 지도자 맹획(孟獲)의 뒤를 쫓았다. 그때마다 지역을 넓혀 간다는 계략이었다. 일곱 번 놓아주는 그의 속셈은 영토의 확대에 있었던 것이며, 맹획을 하나의 본보기로 하여 다른 민족들을 항복시켜 나갔던 것에 불과한 것이었다.

결국 7차전이 끝나고 나서 제갈량은 포로로 잡힌 맹획 일가를 융숭하게 대접한 뒤 자신은 자리를 떠난다. 이때 한 사람이 술자리에 들어와서 "승상은 낯가림이 심해서 당신들을 풀어줘 다시 싸우게 하라는 명령을 나에게 내렸다"고 하자, 마침내 맹획이 눈물을 흘리고 감복하여 진정으로 항복한다는 이야기이다.

삼십육계나 칠종칠금이 승리의 전략인 이유는 적군의 상황을 계속 파악했기 때문이다.

앞으로 조직에서 성과를 내려면 다른 사람의 감정 상태를 읽는 공감 리더십을 갖춰야 한다.

사전부검

알렉산더 뒤마의 〈몽테크리스토 백작〉에 나오는 문장이다.

"인간의 지혜는 기다림과 희망으로 집약된다."

그리스 철학자 플라톤은 이상적인 결정은 경험에서 비롯된 지식에 그 기반을 두어야 한다고 주장했다.

죽기 전에 실시하는 '사전부검(The Premortem)'이란 말이 있다. 미국의 심리학자 게리 클리안이 자신의 책 〈직관의 힘〉에서 소개한 개념이다. 사망 사유를 부검을 통해 파악하듯이 실패 원인을 규명하여 재발을 방지하자는 의미이다.

사전부검의 활용을 보면, 지난 일이 더 명확하게 보이는 효과를 이용한 토론 방식이다. 즉 어떤 결정을 내리기 전에 이미 그 결정이 틀렸다. 또는 실패로 끝났다는 사실을 알게 된 미래에 와 있다고 가정하고, 왜 그런 틀린 결정을 내렸는지? 왜 실패했는가에 대해 논의하는 것이다.

이는 성공 가능성을 높인다는 데 그 목적이 있다. 그래서 흔히 실패학은 바로 그 실패 요인과 장치를 알아내어 실패의 맥락을 분석함으로써 다른 실패를 예측하기 위한 과정이다.

스타트업의 성공 역시 철저한 실패 원인 분석을 위한 '사전부검'

이 필요하다. 그리고 이 프로젝트는 왜 실패했는가? 라는 질문을 던지며 실패의 원인을 예상하는 과정이다.

지금 당신은 중요한 프로젝트를 하기 전, 또 어떤 상황이 일어나기 전에, 또 중요한 결정을 앞두고는, 사전에 충분히 생각하고 결과를 분석해보는 방법을 실천하고 있는가?

삼밭의 쑥

미국의 사상가이자 시인인 마크 트웨인은 "남보다 앞서 나가는 비밀은 지금 당장 시작하는 것이다"라고 말했다.

중국의 고사성어 '근주자적 근묵자흑(近朱者赤 近墨者黑)'이라는 말이 있다. 중국 서진(西晉)의 문신이자 학자인 부현(傅玄)이 편찬한 '태자소부잠(太子少傅箴)'에 나오는 데, 사람은 주위 환경에 이런저런 영향을 받는다는 의미로 '붉은 인주를 가까이하면 붉게 되고, 먹을 가까이하게 되면 검게 물든다'는 뜻이다. 또 '삼밭의 쑥'이라는 '마중지봉(麻中之蓬)'이라는 고사성어도 있다. 중국의 순자(荀子)의 권학(勸學)편에 나오는 말로서 '쑥이 삼밭에서 자라면 붙들어 주지 않아도 곧게 자라고, 흰 모래가 진흙 속에 있으면 함께 검어진다(蓬生麻中

不扶而直 白沙在涅 與之俱黑)'는 성어에서 따왔다. 쑥은 보통 곧게 자라지 않지만 똑바로 자라는 삼과 함께 있으면 붙잡아 주지 않더라도 스스로 삼을 닮아 가면서 곧게 자란다는 뜻이다.

  우리가 무엇을 보고 듣고 만나는 주위 환경이 그만큼 중요하다는 얘기다. 주변 환경은 성공에 영향을 미친다.
  여러분은 구글의 가장 큰 매력이 무엇이라고 생각하는가?
  구글(Google)은 전 세계 젊은이들이 가장 들어가고 싶어 하는 꿈의 회사이다. 많은 젊은이들이 구글 기업에 들어가려는 이유가 무료로 제공되는 음식도 아니고 자유로운 근무 환경이나 좋은 복지 제도 때문도 아니다. 구글의 가장 큰 매력은 <u>똑똑한 사람들과 함께 일하면서 배울 수 있는 기회</u>가 주어진다. 즉 자기계발이다. 자신이 '우물 안 개구리'라는 걸 깨닫게 해 주고 더 많은 것을 배우고 발전할 수 있는 기회가 주어지기 때문이다.

창의적 도약

창의적인 아이디어 짜내기

> 책과 신문 속에 부가 있다.
> 새로운 정보에 좋은 일이 많다.
> _ 워렌 버핏 버크셔해서웨이 회장

그렇다면 실리콘 밸리의 특징이 무엇인가?

다 알고 있듯이 실리콘 밸리는 미국 캘리포니아 주 샌프란시스코 지역 남부를 이르는 말이다. 한마디로 남다른 아이디어가 풍부하고 새로운 도전정신이 강한 인재들이 모여 있는 곳이다. 즉 최고의 인적자원, 젊은 패기의 인재들이 가장 많이 모여 있는 곳이다. 이곳 사람들과 한 공간에서 일하다 보면 그들의 사고방식과 열정, 기술 그리고 더 큰 비전 등에 영향을 받을 수밖에 없다. 그래서 실리콘 밸리(Silicon Valley)로 모여드는 것이다.

하버드대학을 다니던 빌 게이츠와 마크 저커버크는 공부가 싫어서 중퇴한 게 아니다. 두 사람 모두 배움의 남다른 열정을 갖고 있었다. 다음의 물음에 확고한 답을 갖고 있었다.

"새로운 사업에 10년간 매진할 수 있는, 지칠 줄 모르는 열정이 있는가?"

"이 좋은 아이디어를 현실화할 수 있는 지식과 실력이 있는가?"

"실패하더라도 다시 재기할 용기와 의지가 있는가?"

아무리 열정이 있고 좋은 아이디어가 있다고 해도, 그것을 현실화할 수 있는 지식과 실력, 그리고 강한 의지를 갖추고 있는지 자문해봐야 한다.

창의적인 아이디어 짜내기는 그리 쉬운 과정이 아니다. 더구나

169

기술을 구현하기 위해서는 강한 실천력이 필요하다. 흔히 이런 정신을 가지라는 뜻으로 "수입호굴 불황신이가생(雖入虎窟 不慌神而可生)", 즉 '호랑이 굴에 들어가도 정신만 차리면 살 수 있다'는 뜻이다. 미국의 과학소설가인 레이 브래드버리는 "창업은 절벽에서 뛰어내린 뒤 떨어지는 동안 비행기를 조립하는 일이다"라고 말했다.

사실, 절박함과 간절함은 뜻하는 바를 이루게 해준다. 그러니까 새로운 창의적 도약은 '언제'가 아니라 '왜'가 더 중요하다. 성공하기 좋은 완벽한 시기, 다 준비된 환경은 있을 수 없다. 세상에는 공짜가 없다, 당연 공짜 점심도 없다.

믿음의 도약

계곡의 날씨는 변화무쌍하다. 일기예보도 틀리기 십상이다. 그러므로 내가 뛰어들 방향에 대해 사전에 철저하게 조사하고 준비해둬야 한다.

스티븐 스필버그 감독의 영화 〈인디아나 존스와 최후의 성전〉에서 내가 좋아하는 한 장면이 있다. 영화의 클라이맥스는 주인공이 세 가지 관문을 통과하고 성배를 찾아내는 마지막이 '믿음의 도약(Leap of Faith)'이다.

주인공은 나락으로 떨어지는 벼랑 끝에 서서 건너편으로 갈 방법을 모색해 보지만 뾰족한 수가 나지 않는다. 머리 위에서는 사자 모양의 석상이 무서운 표정으로 내려다보고 있다. 그 절박한 상황에서 주인공은 아버지에게서 받은 힌트를 생각해낸다.

"사자 머리에서부터의 도약만이 그의 가치를 증명하리라."

어쩔 수 없이 눈을 감고 숨을 가다듬은 후 발을 뻗어 믿음의 도약을 한다. 끝이 보이지 않는 암흑 속으로 말이다. 위대한 한 발짝을 내디뎠다.

인디아나 존스와 최후의 성전, 'Leap of Faith(믿음의 도약)'
출처: 구글 이미지

4차 산업혁명 시대에 살아가는 우리들에게도 강한 믿음의 도약이 필요하다. 단어적 '도약'은 '몸을 위로 솟구쳐 뛰는 일'로 정의한다. 즉 높은 곳에서 뛰어내리거나 먼 곳을 향해 점프하는 것을 가리키기도 한다. 그런데 더 높이, 더 멀리 도약하기 위해서는 믿음의 발판이 필요하다. 철저한 도약의 발판을 준비해야 세계 최고를 향해 도약할 수 있는 것이다.

오늘도 세운 목표를 향해 부단히 철저한 도약의 발판을 준비하고 한 발짝 내딛고 있는 당신에게 응원을 보낸다.

실패를 통해 읽기

세계적인 성공학자 나폴리언 힐(Napoleon Hill, 1883-1970)은 "모든 역경과 실패와 마음의 고통에는 그만큼 혹은 그보다 더 큰 보상의 씨앗이 있다"라고 말했다.

계산을 해 보자. '2'라는 숫자에 '10'을 곱하면 '20'이 되지만 '0'이라는 숫자에는 어떤 수를 곱해도 '0'이다. 즉 시기(때)가 맞지 않으면 어떤 도움도 무용지물이 될 수 있다는 의미다. 철저히 준비하여 때를 읽는 것이 중요하다.

'성공은 실패와 좌절을 극복한 뒤에 찾아온다.'

사실 애플의 창업가 스티브 잡스는 실패한 제품들이 더 많았다. 프랑스의 황제를 지낸 나폴레옹 보나파르트는 "정복당하는 것을 두려워하는 자는 반드시 패배한다"고 말했다. 실패를 두려워하는 사람일수록 승리할 가능성이 낮다는 얘기다.

우리가 잘 알고 있는 손무의 손자병법 3장 모공(謀攻) 편의 "지피지기면 백전백태(知彼知己 百戰不殆)", 즉 '적을 아는 것도 중요하지만, 자기 자신을 정확히 이해하는 것이 더 중요하다'는 의미이다. 헬렌 켈러는 "자기연민은 우리의 가장 큰 적이며 거기 굴복하면 현명한 일을 결코 할 수 없다"라고 말했다.

사실 자기연민과 자기정당화가 위험을 가져온다. 과도한 욕심과 부정적인 생각을 끊어야 한다. 이기적인 주장이나 편견을 버려야 하고, 대신 균형을 갖고 긍정적인 사람이 되어야 한다. 그래서 실패는 될 수 있으면 피하는 게 좋지만, 혹시 실패하게 된다면 배움의 기회로 삼아야 한다. 도전과 실패를 배우면 그 다음에는 성공적인 결과를 가져다준다.

변화하는 능력

살짝 비틀어 도전하기

원하는 것만으로는 부족하다.
원하는 것을 얻기 위해 무엇을 해야 할지
자신에게 물어야 한다.
_ 프랭클린 D. 루스벨트

그리스 로마신화에는 예언자 카산드라(Cassandra)가 나온다. 카산
드라는 '닥쳐올 불행을 예언하는 사람'을 뜻한다. 트로이 전쟁에서

카산드라는 트로이군에게 목마를 도시 안으로 들여보내지 말라고 경고했지만, 트로이군은 그녀의 말을 무시하였다. 결국 그리스 군이 목마로 숨어 들어감으로 인해 전쟁에서 패했다.

포스버리 플럽(Dick Fosbury Flop, 배면뛰기)은 미국의 높이뛰기 선수인 딕 포스버리가 고안해 낸 도약 방법이다. 그는 키도 작고 체격도 왜소했다. 이런 불리한 신체조건에도 불구하고 포스버리는 1968년 멕시코 올림픽에서 쟁쟁한 경쟁자들을 제치고 금메달을 목에 걸었다. 이것은 남다른 차별화된 도전 때문에 가능했던 일이었다. 이 방법이 나오기 전까지 높이뛰기의 기록은 198cm로, 2m는 인간이 더 이상 뛰어넘을 수 없는 벽으로 여겨졌다. 포스버리 역시 이 벽을 뛰어넘을 수 없었다. 그러다 어느 날, 그는 다이빙의 재주넘기 장면을 보다가 이 방법을 생각해 냈다.

"지금까지 하던, 앞으로 뛰어넘는 방식 대신 뒤로 넘어보면 어떨까?"

그는 그 새로운 방식을 실전에 시험해 보기로 했다. 코치와 선수들의 반대에도 불구하고 계속적으로 연습을 하였다. 그러자 놀랍게도 누구도 넘지 못한다고 장담한 2m의 벽을 쉽게 뛰어넘을 수 있었다. 오늘날, 그의 도약 방법(배면뛰기)은 세계적으로 가장 널리 이용되고 있는 높이뛰기 방식이 되었다. 포스버리는 남들이 생각하지 않았던 새로운 방식을 창의적으로 살짝 비틀어 바꿨을 뿐이지만, 그 생각의 전환이 세계 최고의 금메달을 안겨줬다.

나만의 새로움과 차별화가 혁명을 만든다. 한계를 인정하지 않는 마음가짐이 중요하듯, 남들이 볼 수 없는 것을 보는 안목을 가져야 한다. 지금 하던 방식대로, 통념적 습관으로만 하지 말고 조금만 비틀어 창의적 실험정신을 갖고 기존의 고정관념을 깨는 결단을 하라. 그리고 이번엔 몸을 다르게 비틀어 도전해보자.

다음의 방법으로도 시도하고 도전해 보라. 문제를 놓고, 위기 앞에서, 새로운 창출을 위해, 살짝 비틀어 도전한다.

… 다른 방식으로 시도해보라.

… 상식을 바꾸어보라.

… 때로는 완전히 새로운 방식으로 시도해보라.

… 과감하게 생각을 바꾸라.

… 거시적으로 사고하라.

… 다른 분야의 독서와 만남을 가져라.

… 사물을 보는 관점을 남다르게 가져라.

… 창의적이고 직관적으로 보라.

··· 탐구하고 위험을 즐겨라.

··· 최고의 기회에 집중하라.

··· 미래를 읽어내라.

··· 학습으로 위기를 준비하라.

··· 옛 습관에서 벗어나라.

창조적 도전

폴란드의 한 영화감독에게 "당신을 이토록 창의적으로 만든 것은 무엇입니까?"라는 물음에, 그는 "나를 창의적으로 만든 것은 억압과 한계였다"는 답을 했다. 어쩌면 지금 억압과 한계의 안에서 새로운 창조적 도전이 일어나고 있는지 모른다.

앨버트 아인슈타인은 "삶을 살아가는 방식은 두 가지다. 모든 것이 기적이 아닌 것처럼 살아가는 것과 모든 것이 기적인 것처럼 살아가는 것."라고 말했다.

일본의 히에이 산에 거주하는 스님들의 이야기를 들은 적이 있다. 이 스님들은 7년 동안 완주해야 하는 천 일의 수행이 있다고 한다. 스님들이 걷는 거리 4만 75km는 지구의 둘레보다 더 길다고 한다. 이 산행 수행에는 많은 금지 규칙들이 있는데, 완주하지 못하면 자격이 박탈된다. 그래서인지 스님들은 집으로 돌아올 생각을 아예 하지 않는다고 한다. 그런데 모두 완주한다. 이들이 천 일 산행을 완주하고 불가능해 보이는 목표를 이룰 수 있었던 것은 다름 아닌 내면의 잠재력을 최대한으로 발휘할 수 있었던 불굴의 정신력 덕분이다.

히에이 스님들이 우리에게 주는 핵심 교훈은 바로 목표의 전념이다. 무언가에 전념하기로 했다면 변명이나 핑계대지 말고 자신과 타협하지 말며 그 일에 최선을 다해 해내라는 것이다. 혹 우리에게도 한계가 주어진다면 즐기는 삶이 되기를 바란다.

중국 고전 〈장자〉에 나오는 '우물 안 개구리'는 자신이 알고 있는 지식에 사로잡혀 확장을 못하는 편협한 지식인을 뜻한다. 진정한 혁신의 선두주자가 되기 위해서는 스스로 사로잡힌 우물에서 나와 변화의 물결에 올라 타 사회와 소통하면서 기업가정신으로 무장해야 한다. 스스로 진화의 길을 선택하고 변화의 바람과 물살에 거침없이 제 스스로를 맡기고 행동함으로 개혁의 물결을 가를 수 있다.

미래를 준비하는 '거안사위'

　기존의 힘겨운 경쟁의 구도와 판을 바꿀 기회는 언제나 안정적일 때 주어지는 것이 아니라 때론 곤란과 위기와 함께 온다. 지금이 바로 판을 새로 바꾸어야 할 기회이다. 그러므로 창의적 혁명은 기존의 익숙한 방식을 뛰어넘어 경쟁의 판을 확 바꾸어 버리는 것을 의미한다. 끊임없는 성찰과 기업가정신으로 미래사회에 맞춘 틀을 새로이 짜는 것이다. 이는 성장 동력의 요인이며 지혜로운 등대의 역할을 해줄 것이다.

　유럽의 르네상스 시대에 국가나 명문 귀족가문이 예술가와 과학자를 지원하던 방식처럼 오늘날의 혁신가도 우연히, 저절로, 기회가 주어지는 것을 당연한 것으로 생각해서는 안 된다. 변화하고 혁신해야 하고 끊임없이 학습하고 대가를 치러야 성과를 낼 수 있다. 필히 오래된 통념으로부터 자기파괴를 감수해야 한다. 혁신은 창조적 파괴로 시작하기에 변화에 대한 저항은 늘 존재한다. 그래서 개인이나 조직이 변화를 이끌어내려면 우선 이에 저항하는 세력, 체인지 몬스터를 관리할 전략부터 세워야 한다.

편안함이 영원히 지속된다면 얼마나 좋을까? 치열한 경쟁 없이 성공이 존속되면 좋지만 그런 상황과 시대는 없다. '거안사위(居安思危)'라는 사자성어가 있지 않은가. '평상시에도 위험과 곤란이 닥쳐올 것을 염려하여 미리 대비해야 한다'는 뜻이다.

춘추 전국시대에 정나라가 초나라의 침략을 받았다. 당시 초강대국이던 진나라를 포함한 12개국이 동맹을 맺어 정나라를 도와 승리했다. 이에 정나라는 진나라에 은혜를 갚기 위해 수많은 공물과 악사, 미인 등을 바쳤다. 진나라 왕 도공은 사례품의 절반을 싸움에서 큰 공을 세운 충신 위강에게 주면서 공을 치하했다. 그러자 위강이 공물을 사양하며 왕에게 말했다.

"폐하, 생활이 편안하면 위험을 생각하고, 생각했으면 준비를 갖춰야 화를 면할 수 있음을 알아주시옵소서."

훗날 있을 위험을 미리 대비하여 물자를 아끼고 경계하는 것이 좋다는 내용이다.

이처럼 편안하고 안정적일 때, 앞으로 닥쳐올 위험요소나 위급함을 미리 대비하여 항상 준비해야 한다. 우리의 삶이 '거안사위'로 무장되어야 한다. 비즈니스에서는 당연한 것이다. 잘 될 때 항상 일어날 수 있는 위험과 재난을 생각해야 하고 경각심을 가지고 준비해야 한다. 필히 미래사회를 읽고 준비하고 차별화 전략을 세워 앞서 나가야 한다.

위험에 처한 세상

사실 인간은 현재 문명의 파괴와 4차 산업혁명으로 인해 위험에 처해 있다는 사실을 어느 정도 알고 있다. 영국의 세계적 물리학자 스티븐 호킹(1942-2018) 박사는 지구의 멸망 시기에 대해 앞으로 "200년"이라고 말한 바 있다. 지금 지구에서 일어나는 현상을 살펴보라. 흔한 예로 인구문제, 기후변화, 온실 효과, 오존홀, 북반구와 남반구 간의 빈부 격차, 지역적인 기근, 전쟁, 지하자원의 고갈, 지구 대기권의 심각한 파괴, 생명존중 결여, 미세먼지, 물 부족 등으로 인류가 크게 손상되었다는 것을 알 수 있다.

약 1억 5천만 년 전 공룡이 멸종했다. 그렇다면 1억 5천만 년 후에도 과연 생물의 종(種)이 존재할 수 있을 것인가?

지금 심각한 물음이 떠올랐다. 우리 환경은 어떤가, 지금 존재하는 생태종들은 멸종될 것인가, 고도로 발전되어 존재되어 있을까?

인간의 기술은 어디까지, 그리고 문명의 파괴로 인간의 수명은 얼마나 길어질 것인가?

이 물음들에 대한 대답은 지금 우리 세대가 어떤 준비를 하는가에 달려 있다. 지구와 지구의 거주인인 인류에 대해 다룬 다큐멘터리 〈홈〉에서 방영 된 내용을 보면 아래와 같다. 참으로 놀라운 사실들이다.

- 현재 오염된 식수로 인해 사망하는 사람은 하루 5천 명에 이른다.
- 10억에 달하는 사람들이 기아에 허덕이고 있다.
- 매년 1300만 헥타르의 삼림이 사라지고 있다.
- 오늘날 생물의 종이 멸종하는 속도는 예전의 자연적 진화 과정을 통해 도태되는 속도보다 만 배나 빠르다.
- 기후 변화로 인해 지금의 생활권을 떠나야 하는 사람의 숫자는 2050년까지 적어도 2억 명에 달할 것으로 보인다.

심각하고 위험할 정도로 우리 환경은 위험에 처해 있다. 그래서 항상 새롭게 등장하는 인식과 정보에 우리의 행동을 맞춰야 된다. 새로운 패러다임(paradigm). 너무 새로운 것이어서 행동하기를 거부해서는 안 된다. 새로운 시대가 왔기 때문이다. 상상하지 못했던 새로운 ICT(정보 통신 기술, Information & Communication Technology) 세상에서 살고 있지 않은가?

　알버트 아인슈타인은 "지능의 척도는 변화하는 능력이다"라고 말했다. 공룡처럼 멸종되는 것을 막기 위해서는 우리 모두가 힘을 합쳐 필수불가결하고 먼 미래에까지 영향을 미칠 변화를 미리 파악하고 전략을 세워 대비해야 한다. 변화의 요구가 점점 커져가고 있는 이 상황에서 공룡처럼 끝장나기에는 너무 이르다고 본다. 개인과 기업도 스스로 변화와 개혁을 적합한 체질로 만들어야 한다. 변신에 능해야 살아남을 수 있다.

　이제는 실천뿐이다. 그래야 살아남을 수 있다. 지금 변화하는 능력을 갖추어라.

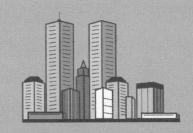

6부

120세 초솔로, 초고령화 사회

부의 미래직업 초예측

앞으로 직업의 종말

변신력의 위력

'유수불부流水不腐'

– 흐르는 물은 썩지 않는다

사실 세계사에서 영국이 19세기 초까지 최강의 경제 국가였다. 그래서 이름도 대영 제국(British Empire)이었다. 그러나 산업경제 강대국으로서의 영국은 미국과 독일에 밀리게 된다. 일본에게도 뒤

쳤다. 이처럼 영국이 뒤쳐진 주된 이유는 바로 미래사회를 읽지 못하고 그 변화에 대하여 거부적이었기 때문이다. 즉 새로운 변화에 대한 변신을 갖추고 있지 못하였다. 지금은 기업과 개인의 변신력(Dynamic Capability)이 혁신적 가치다. 놀랍게도 살아남은 기업들의 비밀은 변신(Transform)이었다. 영국인들은 세계적인 흐름에도 불구하고 옛 전통과 낡은 고정관념에서 벗어나지 못하고 변화를 수용하지 않은 결과로, 새로운 기술혁명에 따른 사회적 의식구조를 변신하지 못해 스스로 도태되어 결국 붕괴하고 만 것이다.

옛 속담에 "허물을 벗지 않는 뱀은 죽습니다."

세계에서 최고의 창고형 경영을 하고 있는 월마트의 창업자 샘 월튼은 입버릇처럼 말하기를 "성공하기 위해서는 항상 변화의 최전선에 있어야 한다." 즉 변화에 민첩해야 하고, 빠른 변신력을 가져야 생존할 수 있음을 의미한다.

부디 4차 산업혁명 시대에 생존하기 위해서 미래를 읽고 끊임없는 변화를 추구하라. 그래서 일찍이 경영철학에서는 리엔지니어링(re-engineering)이라는 말을 자주 강조했다. 이는 경영기법의 근본적인 재설계를 지칭한다.

다양성의 수용

책 〈로마인 이야기〉는 일본의 유명한 여성 작가 시오노 나나미가 쓴 베스트셀러이다. 그녀는 로마가 그렇게 오랫동안 서양을 지배하면서 군림할 수 있었던 힘을 지배민족의 다양한 문화를 존중하고 좋은 것은 받아들였기 때문이라고 한다. 나는 미국의 강대함을 확인하고 배우고 싶은 마음에 미국을 자주 방문한다. 미국의 강대함이 무엇이냐고 묻는다면, 세계 도처에서 끊임없이 유입되는 다양한 사람들로부터 나오는 게 아닐까 생각한다. 즉 다양한 인재들 말이다.

우리는 다양성(多樣性, Diversity)이 매우 중요한 시대에 살고 있다. 다양성은 아주 적극적인 자세에서 발휘된다. 미국이 노벨상 수상자와 전문가가 많은 것은 여러 요인 중에 으뜸은 바로 다양성 덕뿐이다. 다양성은 걸러져서 뛰어난 창의력을 발휘하게 한다. 우리나라가 미국인보다 IQ가 뛰어나지만 창의적이며 혁신적인 결과가 없는 것은 다양성 결여, 즉 소극적인 자세 때문이다.

다양성 결여는 곧바로 개인과 기업의 창의력과 혁신을 뒤처지게 하며 국가 간 경쟁력의 격차를 가속하게 만든다. 그러므로 내일의 청년들은 다양성을 포용하여 창의적 가치로 만들어야 한다. 차별화와 다양성은 창의적 사고의 발판을 마련해주고, 기존 환경이나 구성원들끼리 안주하기보다는 새로운 미래 산업을 받아들여 경쟁력의 격차를 좁혀 나가게 해준다.

미래의 노동은 무형자산과 가치 있는 지식이 새로운 일자리를 창출하는 가치를 지니게 된다. 남아프리카 공화국 대통령 넬슨 만델라는 "교육은 세상을 변화시킬 수 있는 가장 강력한 무기다"라는 말을 한 적이 있다. 그래서 유대인에게 무형의 최고 자산인 '지식'과 '기술'은 생존의 도구였다. 그들의 성공 핵심요인으로 어린 시절부터 부자의 꿈을 심어주는 탈무드 경제교육을 받고 성장했다는 것이다.

변혁적 리더십

더 이상 단순한 직업인으로는 부자가 될 수 없다. 직업을 소명의식(Calling)으로 품고 살아가야 한다. 일명 프로의식이다. 세계적으로 유명한 변증가요 연설가인 기네스(Os Guinness)는 〈소명(The Call)〉이라는 책에서 소명의식을 멋지게 말했다.

"소명의식이란 당신의 인생의 중요한 목적을 발견하고 성취하려는 것이다."

그래서 앞으로 시대는 단순히 양(quantity)의 시대가 아니라 질(quality)의 시대이다. 아주 질적인 변화로 성장을 원하고 있다. 확신하건대, 이 책을 읽고 또 반복하여 습득하면 어떤 식으로든 성장을 이루지 못할 날이 없을 것이다. 풍성한 결실은 물론이고 평소보다 더 나은 성장과 수입을 올리게 된다. 점프하도록 돕는 발판이 만들어지게 된다. 그러므로 현실에 안주하지 말고 철저히 시대의 큰 흐름을 받아들여 근본적인 변화가 당신의 큰 매력이 되기를 바란다.

덴마크의 실존주의 철학자 키에르케고르(1813~1855)는 성장을 이렇게 표현했다.

"결단을 통한 도약이 우리를 성장하게 한다
(development by decision)."

힘껏 응원하겠다. 당신을 향한 창의적 기적을.

당신이 변혁적 리더가 되어 미래를 읽고 철저히 도약의 발판을 준비하고 변화를 가져 성공적 인생으로 바꾸기를 말이다.

현대 경영학의 아버지로 불리며 일찍이 지식 노동자(knowledge worker)가 살아남을 것을 주장했던 피터 드러커가 말하듯이, "19세기는 거대 기업의 시대요, 20세기는 정부 권력의 시대였다면, 21세기는 공동체의 시대입니다. 혼자서는 안 되는 시대로 함께 협력해야 합니다. 21세기는 상호협동의 시대입니다." 즉, 융합(convergence)을 의미한다.

근본적인 변화(radical change)를 갖고 옛 생활습관과 낡은 사고방식을 버리고 새로운 혁명적 변화를 포용하여 재창조의 기적을 만들라. 변화의 기적을 믿으라. 그러면 부자가 되리라.

미래의 충격

미래의 예측

당신의 진정한 모습은

당신이 반복적으로 행하는 행위의 축적이다.

탁월함은 하나의 사건이 아니라 습성인 것이다.

_ 아리스토텔레스

지금 사회는 변화와 혼란으로 더욱 하루하루 예측할 수 없는 사회가 되었고, 과학기술과 환경오염, 무역전쟁, 인구감소 등으로 인한 여러 곳곳에서 붕괴 현상이 일어나고 있다. 청년 실업과 고령화 문제는 경제적 저성장 고실업의 요인이 되기도 한다.

세계적인 미래학자 앨빈 토플러는 2008년 9월 한국에서 열린 아시아태평양 포럼에서 한국의 과열된 학업 풍습에 다음과 같이 평했다. "한국의 학생들은 하루 15시간 동안 학교와 학원에서 미래에 필요하지 않을 지식과, 존재하지도 않을 직업을 위해서 시간을 낭비하고 있다."

앨빈 토플러(1928~2016)는 1980년 출판한 '제3의 물결(The Third Wave)' 등에서 인류는 제1의 물결(농업혁명), 제2의 물결(산업혁명)을 거쳐 제3의 물결인 정보화 혁명으로 가고 있다고 예견했다. 또 〈미래의 충격(Future Shock), 1970〉이라는 책을 통해 21세기는 새 기술의 발달, 급격한 가치관의 변화, 물밀 듯 밀려오는 정보의 홍수 때문에 현대인들은 많은 충격을 받을 것이라고 예견해 주었다. 그런데 예측대로 현대사회는 그대로 되어 가고 있다.

미래를 내다본 토플러의 예측은 현실로 증명되었다. 한 예로 지식사회, 디지털혁명, 권력이동, 기업의 구조 변화 등 모두를 예측했다. 그러면서 낡은 사고방식과 오래된 신조는 더 이상 현실에 부합되지 않는다고 하였다.

미래 세대 읽기

이제 누구나 120세 시대다. 열심히 일만 해서 돈을 버는 시대는 지났다. 앞으로 정년을 보장하는 직장이 없고 프리랜서가 직업이다. 근무 환경에 관계없이 홈테크로 일한다. 대신 노동은 로봇이나 인공지능(AI), 무인 시스템이 일할 것이다. 그래서 풀타임 근무나 정년은퇴라는 개념 자체는 희미해지고 평생직장이라는 말은 없어지게 되며, 정년보장 직장이 의무가 아닌 시대에 살고 있다. 앞으로 미래사회의 변화를 받아들이는 사람과 그렇지 못한 사람 간에 격차가 점점 더 벌어지게 된다.

이골 나게 듣는 말이 4차 산업혁명이다. 이는 미래직업과 사회를 의미한다. 그러면서 1980-2000년경에 태어난 밀레니얼 세대(Millennial Generation)가 번듯한 직업을 잡으려 해도 잘 잡히지 않는 현상을 의미한다. 이들은 돈보다 자기계발과 유연성을 중시하고 자기가 원하는 시간에 일하는 것을 더 선호하며, 노동에서 일과 생활의 균형을 매우 중요시한다. 프리랜서로 일하는 것을 꺼리지 않는다. 아침 일찍 노트북을 들고 카페, 도서관, 공원 등에서 일할 때도 있다. 시간에 얽매이는 것을 싫어한다. 그뿐 아니라 낮에 헬스장에 다녀오고, 점심시간에 친구를 만나고, 휴가도 자유롭게 사용한다.

이제는 직업을 구하는 것이 아니라 사회가 노동 인력을 산다. 마치 백화점에서 물건을 보고 사듯이 말이다. 준비된 필요 인재에게 일을 맡긴다.

미래는 불확실하지만, 그래도 우리는 다가올 미래를 읽고 준비해야 한다. 현대 경제사회는 분기점을 지나 미래사회로서 초지능, 초연결, 딥러닝 그리고 인공지능(AI)이 지배하는 사회가 되었다.

이 책은 미래사회를 읽고 대비하여 새로운 일자리 창출에 도움을 주고 창의적 삶을 살도록 함이다. 그렇기 위해서는 다음의 미래 기술을 이해하고자 한다.

초지능(superintelligence)

생존을 위해 미래를 읽어야 한다. 우리는 인간보다 똑똑한 초지능 사회에 살고 있다. 미래를 완전히 예측할 수는 없지만 어느 정도 미래를 예측하여 앞으로 일어날 일들을 대처할 수는 있다. 보라, 인공지능 기술이 상당히 빠른 속도로 경제에 침투해 노동을 하고 있지 않은가? IT기술이 세상을 바꾸고 있다.

초연결(Hyperconnectivity)

미래사회를 초연결 사회라고 말한다. 인간과 둘러싼 환경적 요소들이 상호간 연결되어 새로운 성장 기회와 창의적 가치창출이 가능한 시대를 말한다. 즉 사람과 도시, 집, 자동차, 건물, 회사 등을 하나로 묶는 초연결 사회이다.

딥 러닝(deep learning)

딥 러닝은 심층학습으로 여러 비선형 변환기법의 조합을 통해 높은 수준의 추상화를 시도하는 기계학습 알고리즘의 집합으로 정의된다. 이는 빅 데이터를 통해 컴퓨터가 이미지, 소리, 텍스트, 영상 형태로 되어있는 무한한 양의 데이터를 이해할 수 있도록 돕는 기술이다.

인공지능(artificial intelligence, AI)

인공지능은 컴퓨터로부터 만들어진 기계가 지능을 갖춘 존재이다. 인공지능이 앞으로 미래사회를 주도적으로 이끌 것이다. 이 인공지능이 모든 일자리를 혁명적 변화로 일으킬 것은 확실하다.

빅 데이터(big data)

다양한 종류의 대규모 데이터에 대한 생성, 수집, 분석, 표현을 그 특징으로 하며, 대량의 데이터로부터 가치를 추출하고 결과를 분석하는 기술이다. 미래의 공장은 엄청난 양의 데이터를 생산할 것이다.

지능형 로봇(Intelligent Robots)

지능형 로봇은 외부환경을 인식하고 스스로 상황을 판단하여, 자율적으로 동작하는 로봇을 의미한다. 활용으로는 생산, 물류, 관리 등 다양한 분야에서 원격제어, 비용 구조, 기술 구도 및 생산성 향상, 노동의 대체, 24시간 운영이 가능하다.

혁신이라 하면 기본적으로 기술혁신을 말한다. 물론 새로운 시장의 발견과 조직의 도입도 포함된다. 아무튼 새로운 혁신기술을 이루기 위해서는 기존의 틀을 창조적으로 파괴하고 새로운 가치 창조와 지식을 갖추고 시장 기회를 창조한다.

내일의 실업자

늘고 있는 캥거루족

당신도 부자가 될 수 있다는 생각을 가져라.

성공할 거라는 한 치의 의심도 없이 확신하라.

곧 좋은 직업을 찾을 수 있다.

– 정병태 교수 강의 중에서

이제 IT산업은 사람들의 생활 속에 깊숙이 침투하면서 미래 경제에 주류로 자리잡았다. 앞으로 IT를 빼놓고 비즈니스를 할 수 없으며 직업 선택도 마찬가지이다.

유대인 속담 중에 멋진 말이 있다.

"모두가 한쪽으로 쏠리면 세계가 전복된다."

우리 경제 문화는 무엇이 잘 되어 돈이 된다고 하면 너도나도 그곳에 몰려든다. 그래서인지 몰라도 여전히 대학생들의 희망직업 1위는 공무원이고 미래를 위해 가장 많은 사람들이 취득한 자격증은 부동산 중개사라고 한다. 그런데 청년 대다수가 일자리를 잡지 못하고, 창업이나 새로운 것에 도전하지 않는다. 그 좋은 머리로, 9급 공무원이 하급 직업의 의미가 아니라 그곳으로만 청년들이 쏠리는 현상 때문이다. 자신의 개성과 능력에 초점을 맞춰 아주 깊이 파고드는 창의적 태도가 부족함을 말하는 것이다.

캥거루족이 늘고 있는 것이 사실이다.

캥거루족이란 자립할 나이인데도 부모의 경제적 도움을 의존하는 사람을 의미하는 말이다. 그래서 나는 유대인들의 슬로건인 "실천하기 위해서 배운다"라는 말을 좋아한다. 자립하기 위해 실천하자. 지금.

미래사회는 너무 획일화되기 보다는 창의성을 바탕에 둔 차별화, 개성화가 더 중요한 사회다. 유대인들의 경쟁의 개념과 우리의 경쟁의 의미와는 다른 것 같다. 그들은 온갖 수단과 방법을 가리지 않고 이기는 것이 아니라 남과 달라지는 것에 초점을 둔다는 것이다. 더 다름에 가치를 갖는다.

내 생각엔 늘고 있는 캥거루족을 줄이려면 창의성, 차별화 그리고 개성화에 집중해야 하고 경제적 자립을 위한 첫 단추를 끼워야 한다.

일의 미래

제조 혁신의 로봇 공장인 아디다스 '스피드 팩토리(Speed Factory)'가 스포츠화 대량 생산을 통해 수익성을 높여주고 있다. CEO를 역임했던 헤르베르트 하이너는 말하기를 "세상이 끊임없이 변하고 있는 지금, 고객들은 최신 제품을 바로 가질 수 있길 바란다."

지금 사회도, 기술도, 문화도 빠르게 변한다. 그런데 고객도 변한다는 것이다. 인공지능(AI)의 변화는 초속도로 변화하고 있다.

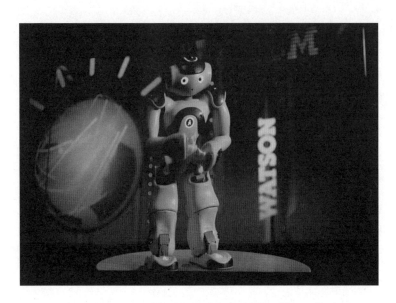
세계 최초의 의료용 인공지능(AI), IBM의 '왓슨(Watson)'
(이미지 출처 : 구글)

인공지능(AI)에 의해서 미래의 의료와 의사의 역할이 빠르게 바뀌고 있다. IBM의 '왓슨(Watson)'이 세계 의료 시장에 진출하였다. 미래를 예측하건대, 앞으로 30년 후 의사가 하는 일의 90퍼센트는 인공지능과 로봇(AI)이 대신할 것이다. 더불어 창의적 무형자산을 중요시한다. 창의적 무형자산으로는 지식과 기술, 그리고 건강과 가정, 원만한 인간관계, 콘텐츠, 이미지, 행복, 가치 등이다. 그런 세상을 과학기술이 지배한다.

지금 세계 경제를 보라, 미국과 중국 간 무역 전쟁으로 세계가 휘청거리고 있지 않은가. 앞으로 경제사회는 과학기술, 즉 인공지능이나 생명공학이 기존의 사회와 경제 구조를 완전히 바꾸어버릴 것이다. 그래서 창의적 기술이 아니면 일할 빈자리가 없는 사회가 된다. 특히 의료 인공지능(AI)이 의사와 같은 전문 직업을 대신하며 사람들과 상담을 한다. 위험한 노동은 로봇이 대신하고 거의 무인 시스템과 자동화가 노동을 하게 됨으로 많은 사람들의 일자리에 변화가 생긴다.

이러한 위기의 시대에 내일의 실업자가 되지 않으려면, 더욱 창의적 노력을 해야 한다. 기성세대들도 마찬가지다. 물론 새로운 직업과 일자리도 출현될 것이다. 부디 미래사회를 예측하고 대비하여 원하는 일자리를 찾기 바란다. 그리고 창의적 창업에도 도전하라. 새로운 분야도 적극 개발하라.

긱
(Gig)
경제시대

노동의 미래

성공은 행동과 연결돼 있는 것으로 보인다.

성공하는 사람은 끊임없이 움직인다.

실수를 저지르기도 하지만 결코 포기하지 않는다.

_ 콘래드 힐튼

앞으로 사회는 창의적 지식이 최고의 자산이다.

인간은 120세 인생으로 삶이 길어졌다. 오래 살게 됨으로 재정적인 문제를 해결하기 위해 일하는 기간도 늘어난다. 일하는 기간이 길어지면 고용환경도 급격하게 변한다. 길어진 삶을 보고 영국의 수상이었던 윈스턴 처칠은 이런 말을 한 적이 있다.

"앞을 내다보는 것은 언제나 현명한 행동이지만, 눈에 보이는 것보다 더 멀리 내다보는 것은 어려운 일이다."

미래의 직업을 예측하는 것은 어렵고 불확실하지만, 그래도 미래를 예지하여 준비해야 한다. 길어진 인생을 살아야 할 우리들에게는 미래사회와 노동을 예측하는 것이 아주 중요하다. 미래 노동은 짧게 노동하되 길게 일하는 것이다. 직장이 아니라 직업이다.

긱(Gig)은 경제 분야 신조어다. 이른바 '긱 이코노미(Gig Economy, 임시직 경제) 시대다. 이는 노동의 미래를 예측한 결과이다. 긱 이코노미는 새로운 노동 트렌드로 기업들이 필요에 따라 단기 계약직이나 임시직으로 인력을 충원하고 그 대가를 지불하는 형태의 경제를 의미한다. 일상생활에서 출발하여 최근에는 의사, 변호사, 교수, 전문인, 컨설팅 등 전문 인력이 긱 경제에 참여하는 서비스로 발전하고 있다. 이는 새로운 일자리 마련으로 은퇴자, 전업주부,

투 잡 등 다양한 사람들이 노동시장에 진입하게 되었다. 긱 경제는
모바일 기술과 정보 자동화로 인해 기업에서 독립된 임시 노동자
를 더 쉽고 폭 넓게 쓸 수 있는 기회를 제공해 주었다.

이제 단기 노동자, 프리랜서, 아르바이트, 계약직, 외국 노동자
도 직원이라 칭한다. 노동도 온라인화 되고 있다. 아마존은 배달
서비스를 시작하면서 노동자가 타인의 간섭을 받지 않고 자유롭게
아마존 상품을 배달하고 있다.

지금 일의 미래에 관심을 갖고 준비하면 얼마든지 부를 얻을 수
있다. 그래서 이코노미스트 주간지는 10년 후 세계 인구의 절반이
프리랜서로 살아가게 될 것이라고 예언했다. 그리고 풀타임의 노
동력은 로봇과 인공지능(AI)이 대신하게 되며, 기계가 공장 노동자
의 일자리를 대체하더라도 새로운 일자리를 창출하게 된다고 하였
다.

직업의 방식 붕괴

놀라지 말라. 내가 내일의 실업자가 될 수 있다.

지금 세상은 빠르게 직업의 종말을 맞이하고 있다. 그래서 평생한 직장에 다니던 근무 방식이 아닌, 자유로이 이직하며 커리어를 높이는 방식을 택하는 사람들이 점점 늘어나고 있다. 직원이 공식적으로 부업을 하고, 투잡을 한다. 프리랜서로 다른 일을 갖는다. 하고 있는 분야와 무관한 자격을 준비하여 미래를 준비한다. 그리고 채택근무나 원격근무를 하고 카페가 일터가 되어버렸다. 협업 공간, 스터디 공간, 1인 비즈니스 룸 등에서 일한다. 주 4일 근무, 홈테크 노동 등 마치 유목민처럼 장소를 옮기면서 일하는 디지털 노마드(Nomad) 일하기 방식이다. 즉 여행하며 일하는 것이다. 요즘 오전은 집에서, 오후에는 거래처에서 일하기도 한다. 얼마든지 업무나 분야에 따라서 각종 작업, 정보, 문서들을 사무실 서랍장 대신 클라우드(Cloud)로 옮기면서 일을 한다.

다시 미래사회를 예측하되, 앞으로 더 많은 사람들이 원격으로 일할 것이다. 회사가 직원을 출퇴근 가능한 한정된 지역에서만 채용하는 시대는 지나갔다. 이미 여러 분야에서 직업 방식이 붕괴되고 있다.

메커니컬 터크

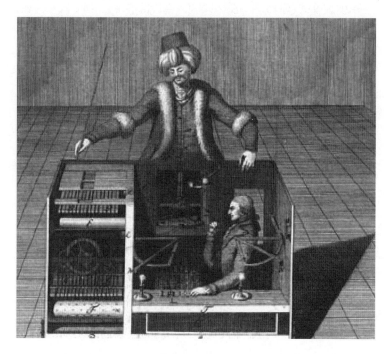

인공지능 기계, The TURK(자동 체스 기계), (사진 _위키피디아)

미국에서 아마존 기업은 미래사회 기업에 맞게 기대를 주며 지속적으로 성장하고 있다. 그런데 아마존 기업이 자주 사용하는 표현법이 있는데, 바로 메커니컬 터크(mechanical turk)이다. 아마존의 노동자가 일하는 것은 사람이 아니라 톱니바퀴, 즉 인공의 기계가 노동을 한다는 의미이다.

아마존은 앞으로 값비싼 노동력이 아니라 값싼 기술력을 갖추고 유연하게 일하는 가공의 기계들을 노동자로 고용하고자 함이다. 1994년에 온라인 서점으로 출범했고, 수년 째 미국 온라인 리테일 시장을 독식하고 있으며 최근에는 AWS라는 클라우드 서비스를 런칭해 종합 IT플랫폼 회사로도 자리매김하고 있다. 그리고 완전 무인마트를 운영하고 있다.

1809년 프랑스의 장군 나폴레옹 보나파르트가 전쟁을 치루고 나서 궁전에서 흥미 거리를 찾던 중 요즘 말로 표현하면 체스 두는 인공지능 기계(메커니컬 터크mechanical turk)와 대결을 하게 된다. 한마디로 나폴레옹과 인공지능의 체스 대결이다. 결국 대국을 벌였지만 19수 만에 말을 던지고 메커니컬 터크인에게 패배를 인정했다고 한다.

앞으로 값싼 노동자로 비춰져서는 설 자리가 없다. 치열한 딥 러닝(deep learning, 심층 학습), 즉 배우고 연마하여 고도의 기술력을 갖추어 효율적으로, 일을 창의적으로 처리하는 기술력을 갖추어야 한다. 아마존의 메커니컬 터크는 컴퓨터가 하지 못하는 일만 사람에게 시키는 것이 기본 철학이다.

학습과 연마를 통해 가공된 기술을 다룰 수 있는 재능을 보유한 사람만이 살아남을 수 있다.

초솔로, 초고령화 사회

어쩌면 벤저민 프랭클린이 했던 유명한 말처럼 "이 세상에서 죽음과 세금 말고는 확실한 것이 없다." 이는 불확실한 미래의 위기를 언급한 것이다.

지금으로부터 약 30년 전인 1987년에 마거릿 대처 전 영국 총리는 "사회 같은 건 없다. 오직 개인과 가족이 있을 뿐이다"라고 말했다. 일본인 아라카와 가즈히사가 쓴 〈초솔로 사회〉에 보면, 2035년 인구 절반이 솔로가 된다고 예측한다. 즉 혼자 사는 것이 표준이 되는 사회가 온다는 의미이다. 그러므로 미래 경영철학의 핵심은 새로운 경제사회의 출현에 미리 대비하여 준비하는 것이다.

사람들은 다양한 이유로 솔로가 된다. 특히 지금 세대의 여성들은 높은 교육수준에다 경제적 독립성까지 지닌 세대로 결혼을 필수라고 생각하지 않는다.

앞으로 우리나라도 10년 후면 초솔로 사회라 부르게 된다. 인구는 감소하고 솔로가 늘어나고 있다. 미혼화는 젊은이들의 책임이 아니라 사회 구조적 문제이다. 또한 세계가 초고령화를 맞이하였다. 초고령화 사회는 진행되고 있는데, 일자리는 턱없이 부족하여 청년들이 채울 일자리는 거의 없어지게 된다. 곧 청년들이 일할 자리가 없는 세상이 온다.

아주 빠르게 초솔로, 초고령화 사회는 시대적 흐름으로 확실히 도래한다. 그렇다고 두려운 미래가 아니다. 미혼과 독신, 1인 가구, 개인화, 저출산, 지역, 가족, 공동체, 건강 등의 미래 사회와 트렌드를 읽고 준비하면 더욱 풍요롭고 행복한 삶을 살 수 있다. 새로운 일자리와 직업의 기회를 얻게 된다.

실패를 뛰어넘는 복원력

가장 빠른 정보력

지옥을 지나가고 있다면,

멈추지 말고 계속 가라.

_ 윈스턴 처칠

미국 아칸소 주 벤턴빌에 월마트 박물관이 있다. 월마트 창업자 샘 월턴(1918-1992)은 시내 광장에 있는 조그만 구멍가게에서 월마트를 시작했다. 박물관에는 샘 월턴이 몰던 오래된 트럭과 그의 물품이 전시되어 있다. 그중에 오래된 열쇠고리가 있는데, 그 열쇠고리에는 '까짓것 해보자!'라는 문구가 박혀 있다. 이러한 정신이 비록 늦게 작은 구멍가게로 시작했지만, 샘 월턴이 세계 1위 유통사 월마트로 성공할 수 있었던 비결이었다.

이 세상에서 가장 부자인 가문은 어디일까?

세계에서 최고의 부자 가문은 로스차일드 가문(Rothschild family)이다. 빌게이츠나 워렌 버핏 같은 사람들은 세계 최고 갑부들이지만 비교가 되지 않는다. 로스차일드 가문의 재산은 무려 500만조나 된다. 세계 경제 현금의 약 45%를 차지하는 어마어마한 액수다. 로스차일드 가문의 기반을 닦은 사람은 메이어 암셸 로스차일드이다. 나폴레옹 전쟁 당시 워털루 전투에서 영국은 승리했으나본국에는 반대로 '졌다'는 소문이 돌았다. 영국의 금융자산은 급락했고, 로스차일드가(家)는 자신들의 정보망을 바탕으로 하락한 영국 전시 공채 등을 무더기로 사들였다. 이후 승전한 것으로 다시전해지자 자산 가치는 급등했고 천문학적 수익을 올렸다.

바로 로스차일드가(家)가 돈을 많이 벌수 있었던 비결은 정보를가장 빨리 선점했기 때문이다.

앞으로 비즈니스는 생생한 미래정보를 읽는 것이 돈이다. 누가 더 신선하고 유익한 정보를 얻느냐에 달려 있다. 유대인 속담에 "통로를 향해 두 귀를 바짝 세워라"는 말이 있듯이 성공하려면 정보를 습득하는 일을 귀찮아하지 말라. 그리고 숫자에 능숙해야 한다. 그래서 유대인들은 숫자에 있어서는 능통하다. 반드시 가방에 계산기를 가지고 다닌다.

앞선 정보를 읽어 냄

현대 사회는 혁명적인 혁신이 빠르게 일어나는 시대이다. 이러한 시대에 미래사회를 칸막이식 관점에서 생각하거나 소극적 태도를 유지하게 되면 스스로 고착되고 도태되어진다. 철학자 이사야 벌린(1909-1997)이 말했듯이 이솝우화에 나오는 리더는 두 종류의 인간형이 있는데 고슴도치와 여우이다. 고슴도치의 좁고 고정된 시각이 아니라 여우의 지혜와 민첩성이 필요하다. 즉 여우형 리더라고 말할 수 있다.

앞으로 리더는 칸막이식 막힌 관점을 가져서는 안 된다. 대신 총체적이고 유연해야 하며 적응력이 뛰어나야 한다. 또한 리더는 지속적으로 다양한 이해관계와 의견을 소통하고 통합하기 위해 노력해야 한다. 그리고 미래 사회와 경제 산업 트렌드를 읽고 예측하여 이길 수 있는 전략을 세운다.

지금 우리에게 처한 환경을 살짝 비틀어서 또는 문제에서 이탈하여 미래의 5년, 10년 후 세상을 볼 수 있는 통찰력을 갖고 철저히 대비해야 한다.

세계 최대의 소셜네트워크 페이스북의 창업자 마크 저커버그는 창립 6년 만에 연 수익 10억 달러를 기록했다. 구글은 같은 목표를 달성하는 데 고작 5년이 걸렸다. 파괴적 혁신의 가속화는 끊임없이 변화하고 있다. 이런 상황 속에서 혁신적으로 학습하고 적응력을 높이면서 창의적인 능력을 갖추어야 한다. 특히 마크 저커버그의 남다른 태도와 생각을 보면, 그는 부자임에도 월세 집에서 살고 하루 16시간을 일한다. 티셔츠와 청바지 차림으로 출근하며 간단한 점심식사를 하고 주변 사람들과 자유로운 소통을 한다. 그런가 하면 개방, 사람, 혁명, 정보흐름 등을 최고 가치로 두었다. 또 그는 자신이 성공할 수 있었던 요인을 이렇게 말한다.

"우리는 개방된 정보흐름을 창조하고 있기 때문이다."

세계적인 부자들 이를테면, 빌 게이츠, 워런 버핏, 샘 월튼, 손정의, 로스차일드 가문, 마크 저커버그, 마윈 등 이들의 공통점은 무엇인가?

먼 미래사회를 읽고 앞선 트렌드와 정보의 흐름을 누구보다도 빨리 파악하는 뛰어난 통찰력을 갖추고 있었다. 그리고 읽은 정보력을 실질적인 경영에 적용시킨다.

신(新) 갑오혁신의 복원

우리 역사에서 갑오개혁(甲午改革 고종31)이 일어났었다. 갑오개혁은 한마디로 구시대의 문화와 생활양식에서 벗어나 새로운 시대를 열고자 했던 근대적 개혁의 시도였다.

120년 전인 1894년 갑오년에는 근대적 체제로 탈바꿈하고자 갑오개혁이 추진되었다. 그러나 역사는 뜻대로 되지 않았고 한계를 극복하지 못하고 외세에 의해, 특히 일본의 식민지로 전락하는 비운을 겪게 된다. 그 이유로 일본의 눈치를 보느라 제대로 개혁하지 못했다. 갑오개혁 때 우리 군은 근대화되고 강해진 것이 아니라 오히려 규모가 축소되고 이전보다 나아질 것 없는 군대였다.

1차 갑오개혁은 김홍집과 흥선대원군이 나서지만 2차 갑오개혁

(1894–1895)을 이끈 인물은 박영효이다. 그러나 여전히 일본은 조선에 더욱 내정 간섭을 하였다. 2차 갑오개혁에서 눈에 띄는 것은 홍범 14조로 개혁의 정신을 볼 수 있다.

"청에 의존하는 생각을 버리고 자주 독립의 기초를 세운다. 임금은 각 대신과 의논하여 정사를 행하고, 종실, 외척의 내정 간섭을 용납하지 않는다. 총명한 젊은이들을 파견하여 외국의 학술, 기예를 견습시킨다. 문벌을 가리지 않고 인재 등용의 길을 넓힌다."

갑오개혁은 우리나라 최초의 공식적인 근대화와 자주독립을 위한 개혁이었다. 실패의 요인은 일본의 간섭과 의존하려는 자세를 지녀 국민의 반발을 받았으며 민중의 지지를 받지 못했다는 것이다. 그러나 우리는 갑오개혁의 정신만큼은 잊지 말아야 한다. 과거와는 질적으로 다른 낡은 틀을 깨고 새로운 변화를 추구해야 한다.

지난 120년을 돌아볼 때 역사의 개혁은 잠시 내려놓고 이제 미래를 전망하고 새로운 물결과 혁신의 전략을 위한 판을 새롭게 짜야한다. 이것이 바로 신(新) 갑오혁신(甲午革新) 정신이다. 사실 우리 민족은 회복탄력성(resilience)이 특히 뛰어나다. 원래 상태로 돌아가는 회복탄력성 만큼은 최고다. 얼마든지 준비만 잘하면 위대한 역사적 전환기를 만들어갈 수 있다. 보다 치밀한 미래전략을 세워 혁신적 ICT 기반의 융합산업을 창출해야 할 것이다. 이미 우리에게는 엄청난 회복탄력성을 지니고 있음을 믿고 다시 준비하자.

긴 경기침체와 저성장구조의 늪에서 빠져나올 유일한 방법은 기업가정신으로 무장한 신(新) 갑오혁신의 정신과 기술혁신 전략을 수립하는 것뿐이다.

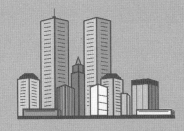

7부

미래사회를 여는 변신력

자발적 혁신경영

세미한 관찰력

자발적 자기변신

삶과 사업에는 근본적으로 두 가지 죄가 있다.

첫 번째는 생각 없이 갑자기 행동하는 것,

두 번째는 전혀 행동하지 않는 것이다.

_ 인수합병의 대가 칼 아이칸

문화혁신 운동을 지칭하는 "르네상스(14-16세기)"라는 말은 자발적 혁신이다. 혁신의 출발은 창조적 파괴다. 그래서 제2의 르네상스로 도약하기 위해서는 발판을 바꿔 띄지 않으면 희망이 없다. '세상에 공짜 점심은 없다'라는 경제학의 기본 격언에서 알 수 있듯이 생존을 위해서는 자발적 혁신이 필요하다. 이 혁신이 원활히 이루어지려면 단계마다 변화가 일어나야 한다. 하지만 "모두가 세상을 변화시키려고 하지만 정작 스스로 변하겠다고 생각하는 사람은 없다"라고 러시아의 대문호 톨스토이마저 변화의 어려움을 설파하였다.

미래사회는 철저한 자발적 혁신만이 생존의 길이다. 스스로 혁신을 하지 않으면 퇴보의 근원이 되며, 미래의 변화를 읽지 못하면 경쟁 탈락과 밀려나는 도태를 맞게 된다. 기억하라. '알을 깨고 나오는 반란'이 필요한 시대다. 스스로 성찰과 미래를 모색하며 전통적 관행에서 벗어나 적극적으로 미래 지향적인 동적 역량을 펼쳐야 한다. 변화를 이루려면 자발적 변신력을 가져야 한다. 이는 살아남은 사람들의 비밀이기도하다.

자발적 변신력이란 급격한 환경에 대처하여 개인과 기업이 지닌 자원을 새롭게 배치하고 활용함으로써 적응해가는 능력을 의미한다. '트랜스(trans)'는 라틴어 어원으로부터 파생된 영어 접두사로 '변신력' '초월성' 등의 뜻을 담고 있다. 그런데 변신을 잘 하려면 미래의 변화를 읽어내야 한다.

지금 변화와 혁신은 선택이 아니라 성장과 번영을 위한 필수조건이다. 변신의 시작은 자기 자신부터지만 조직의 변신은 위에서부터 시작해야 된다. 이것이 진짜 변신이다.

버락 오바마(Barack Obama) 대통령이 말하기를 "다른 사람이 가져오는 변화나 더 좋은 시기를 기다리기만 한다면 결국 변화는 오지 않을 것이다. 우리 자신이 바로 우리가 기다리던 사람들이다. 우리 자신이 바로 우리가 찾는 변화다."

세미한 관찰력

한비자

한비자(韓非, 기원전 280-233)는 중국 춘추 전국시대에 불멸의 지혜를 전했던 사상가이다. 〈한비자〉 책은 법가사상을 집대성한 고전이다. 한 나라의 왕족 출신으로 그의 가르침은 후대의 사람들에게 실질적 인생 전략으로 큰 영향을 끼치고 있다. 그는 태생적으로 말더듬가이며 관계력이 뛰어나지 못했지만, 그 단점을 보완하고도 남을만한 뛰어난 사고력과 세미한 관찰력을 갖추었다. 거기에 허상을 가려내는 예리한 통찰력을 지녔다.

우리는 이 세미한 관찰력이 필요로 하는 시대에 살고 있다.

4차 산업혁명 시대에 성과를 내고 성공하기 위해서는 필히 창의적 사고력과 더불어 세미한 관찰력, 예리한 예지력, 그리고 뛰어난 관계력 등 핵심 능력을 갖추어야 한다.

플러그 인 사회

4차 산업혁명 핵심 키워드 중 여러 단어가 있겠지만 그 중에 하나가 바로 연결(connected)이다. 한마디로 초연결(Hyper Connectivity) 사회를 의미한다. 현재 전 세계가 초연결 사회로서 매일 빠르게 새로운 문화가 창조되고 있다.

그래서 미래학자들은 말하기를 미래사회는 진정한 쉼을 누리지 못하는 사회라고 한다. 즉 세계 경제사회 환경이 빠르게 ICT 창의적 사회로 급격히 변화되었다. IT산업이 가치창출의 중심이 되고, 개인 기업 국가의 경쟁력을 좌우하는 중요한 역할을 하고 있다는 역설적 의미이다. 이를테면, 길을 걸으면서도, 밥을 먹으면서까지, 심지어 잠자는 순간에도, 더 나아가 친한 친구와 대화하면서도, 어떤 사람은 극장에서 영화를 보면서까지, 운전하면서조차 플러그 인(plug-in)된 사회의 맛을 누리며 살고 있다. 이는 SNS(Social Networking Service, SNS) 세상으로 사용자 간의 자유로운 의사소통과 정보 공유, 그리고 인맥 확대 등을 통해 사회적 관계를 생성하고 강화해가는 세상을 의미한다. 한 예로 개인방송, SNS 마케팅이 좋은 사례이다.

'5Why?' 혁신 비결

우리가 잘 아는 일본 도요타는 혁신기업의 상징이다. 볼트 하나까지도 세계에서 가장 싸게 만들 수 있는 기업으로 알려져 있다. 도요타는 단순히 싼 부품만으로 승부한 것이 아니라 품질을 높이면서도 원가를 절감할 수 있는 가치혁신(value innovation)을 구현했다.

도요타가 1938년 회사 창업 시점부터 가장 강조한 두 가지 핵심 단어가 바로 창조와 품질이었다. 회사를 경영하는 내부 모습을 들여다보면, 필요한 요소마다 창의적 사고를 강조하고 있다는 사실을 쉽게 발견할 수 있다. 도요타가 창의적 솔루션을 찾기 위해 사용하는 대표적인 방법 중 하나는 어떤 문제를 발견하면 해당 문제에 대한 본원적 이유를 찾으려 노력한다는 것이다. 도요타는 이를 위해 한 문제에 대해 적어도 다섯 번은 고민하는 '5 Why?'라는 기법을 사용한다. 회사 창립자였던 기치로 도요타(Kiichiro Toyota)는 다섯 가지 경영원칙을 제시했다.

1) 직위에 상관없이 성실하게 자신의 임무를 다하고 협동해 국가의 발전과 복지에 기여하라.

2) 끝없는 창의성과 탐구심, 진보를 추구하며 시대를 앞서가라.

3) 쓸데없는 일을 하지 말고 실용적이 되어라.

4) 친절하고 관대하며 따스하고 편안한 분위기 조성에 노력하라.

5) 공손하며 크고 작은 일들에 마음 깊이 감사하라.

우리는 도요타가 성공할 수 있었던 창의적 적극성을 배워야 한다. 새롭고 차별적인 혁신 경쟁력을 벤치마킹해야 한다. 매일 조금씩 개선을 지속해 나아가고자 하는 정신이 도요타의 혁신적 성공 비결이었다.

인문학적 지격

성공하기 위해서는 필히 성공을 부르는 습관이 몸에 배어 있어야한다 해도 과언이 아니다. 수백 명의 세계적인 인사를 인터뷰하고 책을 낸 성공학 저자 마크 톰슨은 성공한 사람들의 공통점을 '3P'로 꼽았다.

첫 번째 P는, 확고한 목적(Purpose)을 가지고 있었다.

두 번째 P는, 자신이 하는 일에 매진하는 열정(Passion)이 있었다.

셋 번째 P는, 이를 반드시 실행(Performance) 하였다.

그러기에 이들은 모두 성공할 수 있었다.

4차 산업혁명 시대에 성장을 위해 혁신과 융합전략이 필요하고, 거기엔 반드시 긍정적 사고와 조화를 이루어야 한다. 더욱이 인문학적 지각을 갖춘다. 통찰력을 갖춘 지식은 새로운 창의력을 만들어낸다. 인문학적 지각은 사물을 다양한 관점에서 창의적으로 볼 수 있는 혜안을 주며 지격(知格)을 길러준다. 여기서 지격이란 지식의 품격을 높인다는 의미를 담고 있다. 즉 서로 다른 학문과 기술 사이의 지식을 창출한 뒤 융합이 이루어진다. 그 지식을 적용시켜 가치를 높이는 과정이 바로 창의적 혁신이다.

인문학은 새로운 것에 도전이자 자기혁신이다. 그리고 창의적 시도이며 바보정신이다. 여기서 바보정신은 꾸준함과 우직함을 의미한다. 아인슈타인은 "바보란 같은 행동으로 다른 결과를 기대하는 사람"이라고 말했다. 즉 자신의 마인드 셋(mindset, 마음가짐)을 바꾸고 변화를 위한 행동에 나선다. 인문학과의 접목을 통해 규범을 정비하고 가치관을 바람직한 방향으로 유도한다. 이는 미래사회를 준비하기 위해 반드시 실행이 수반되는 전략이다. 이는 창출의 컨버전스로, 패러다임의 전환으로, 문화와 디자인, 금융, 서비스, 산업, 경영, 기술 등이 지식과 융합하여 새로운 성장 동력을 만들어내는 것이다. 이는 결국 창의적 성과를 낸다.

생생하게 꿈꾸기

독일의 사상가인 에른스트 블로흐(1885~1977) 역시 "인간은 끊임없이 희망을 품는 존재다"라고 말했다. 셰익스피어의 조언도 "절망을 치유하는 명약, 그것은 희망밖에 없다"고 했다. 이제 내 입술로 희망을 나발 불라, 부른 희망은 어김없이 네게로 돌아온다. 희망의 철학자 에른스트 블로흐가 그의 생애 중 가장 어려웠던 시기에 10년 이상을 연구에 몰두하여 저술한 대표작이 바로 '희망의 원리'(Das Prinzip Hoffnung)이다. 그의 서문에서 '우리는 꿈을 꾸어야 한다'라는 말을 남긴다.

또 "꿈이 없는 사람에게는 어떤 기회도 오지 않는다"고 강조한 철학이 마윈의 성공비결이다. 중국 알리바바의 창업주 마윈(Ma Yun)은 회사를 설립하기 전에 주변 지인과 친구들에게 의견을 물었다. 그런데 단 한명을 제외하고는 모두 그의 사업 계획을 반대했다. 하지만 마윈 대표는 그들을 무시하고 자신의 계획을 밀고 나갔으며 현재 부자 기업이 되었다. 즉 자기신념을 밀어붙일 줄 알았다.

이것이 성공하는 사람들의 공통된 습관이다. 물론 부자가 되는 습관이기도 하다.

물리학자 알베르트 아인슈타인은 끊임없이 상상하고 꿈을 말했다. 성공하고 싶다면 생생하게 꿈꾸어야 한다고. 그러면 당신에게 운명처럼 기회가 찾아온다.

당신의 꿈을 실현시키고 싶다면 반드시 나의 꿈을 지지해주며 힘을 불어넣어 줄 사람들이 필요하다. 타인의 도움 없이 꿈을 성취하기에는 너무 버겁다. 혼자서 성공한 사람은 없다. 성공한 사람들은 그들이 인정하든 그렇지 않든 간에, 어쨌든 꿈을 향한 여정에서 다른 사람의 도움을 받았다.

사람들에게 당신의 생생한 꿈을 효과적으로 전달하고 그 꿈을 이해시켜라. 그리고 도움을 구하라.

인간의 능력

경영의 미래 읽기

> 어떤 종류의 성공이든 인내보다 더 필수적인 자질은 없다.
> 인내의 거의 모든 것, 심지어 천성까지 극복한다.
>
> _ 존 D. 록펠러

미래학자 앨빈 토플러의 말대로 이제까지의 사회를 유지하고 있던 '심층기반' 전반이 흔들리고 있다. 초일류 기업들조차 어떻게 하면 벤처기업 같은 유연성과 창의성을 갖출 수 있을까를 고민하며 민첩한 조직을 구축하기 위해 온 힘을 쏟고 있는 것이 사실이다.

최고의 경영 사상가로 평가 받고 있는 게리 해멀은 세계에서 가장 영향력 있는 경영 대가(guru)이다. 그의 책 〈경영의 미래〉에서 "20세기형 경영 모델을 고집하는 회사는 21세기에서 살아남을 수 없다"고 강조했다.

다음은 게리 해멀의 〈조직에 공헌하는 인간의 능력 6단계〉 구성표이다.

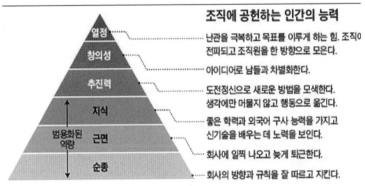

조직에 공헌하는 인간의 능력

- 열정 ····· 난관을 극복하고 목표를 이루게 하는 힘. 조직0 전파되고 조직원을 한 방향으로 모은다.
- 창의성 ····· 아이디어로 남들과 차별화한다.
- 추진력 ····· 도전정신으로 새로운 방법을 모색한다. 생각에만 머물지 않고 행동으로 옮긴다.
- 지식 ····· 좋은 학력과 외국어 구사 능력을 가지고 신기술을 배우는 데 노력을 보인다.
- 근면 ····· 회사에 일찍 나오고 늦게 퇴근한다.
- 순종 ····· 회사의 방향과 규칙을 잘 따르고 지킨다.

범용화된 역량

※지식, 근면, 순종은 현대 경영에서 얼마든지 구할 수 있음. 노동력이 싼 저개발 국가에서 첨단제품을 제조하는 것이 대표전
자료: 게리 해멀

자료출처: 구본형 변화경영연구소 연구원 – 북리뷰
'경영의 미래', 게리 해멀, 세종서적, 2009년

게리 해멀(Gary Hamel, 1954-)은 조직에 공헌하는 인간을 6단계로 나눈 바 있다. 그 단계를 보면, 6단계 - 순종. 5단계 - 근면. 4단계 - 지식. 3단계 - 추진력. 2단계 - 창의성. 1단계 - 열정이다.

이를 다시 보면서 가장 낮은 6단계는 순종, 5단계는 근면성, 그런데 놀랍게도 2단계는 창의성이다. 이 사람들은 새 아이디어를 끊임없이 찾고 기존 통념에 도전하고 여러 가지 가능성과 기회를 모색한다. 그리고 최고의 1단계는 열정이다. 이들은 자신의 일로 이 세상에 변화를 가져올 수 있고 다른 사람의 삶을 바꿀 수 있다고 믿는다.

게리 해멀은 다음과 같이 말한다.

"근면과 순종을 이끌어내긴 쉽다. 하지만 열정과 창의성은 쉽게 생겨나지 않는다. 과거 관리자의 역할은 직원들이 조직을 위해 일할 수 있도록 관리하는 것이었다. 직원보다는 조직이 우선이었다. 이제 상황이 바뀌었다. 관리자는 직원들에게 목적의식을 부여하고 창의성과 열정을 이끌어내는 업무 환경을 만들어내야 한다."

게리 해멀은 경쟁의 룰을 바꾸는 혁명과 새 비즈니스 모델을 만드는 창의력만이 새로운 가치를 창조할 수 있다고 일관되게 주장한다.

독자들의 잠재된 독창성을 끄집어내어 자라도록 돕고, 그 능력을 발휘하고 변화를 이끌어내는 것이다. 개인과 조직의 창의력을 끌어내는 능력이 미래를 결정한다는 것을 알고 있기 때문이다. 그러기 위해서는 꾸준히 독서를 해야 한다. 새로운 분야의 학습과 전문인들과의 만남을 가져야 한다. 합의적 사고를 갖고 말이다.

오리지널스

오리지널스(originals)만의 비결

> 큰 그릇은 더디 이루어진다.
>
> _ 노자 (도덕경, 제41장)

위대한 인재는 늦게 만들어진다. 그래서 인생은 늙어가는 것이 아니라 익어가는 것이다. 『노자(老子)』 33장 역시 자기 단속의 중요함을 설파하고 있다. '남을 아는 것을 지혜라고 한다면, 자기 스스로 아는 것은 현명하다고 할 것이다. 남을 이기는 것을 일컬어 힘이라고 한다면, 스스로 이기는 것은 강이다.' 즉 뛰어난 사람은 자기 스스로를 아는 사람이고 자기를 절제할 수 있어야 한다는 얘기다.

이 시대는 창의적 독창성과 차별화가 절실히 필요한 시기이며 이는 생존의 도구이고 부(富)의 기회가 된다. 낡은 통념을 타파하고 대세를 거스르는 독창적인 사람들에 딱 맞는 영어 단어 무엇이 있을까? .., 당신이 생각하고 있는 그 단어도 맞다. 나는 '오리지널스(originals)'라고 생각한다.

창의성은 타고나는 것이라는 낡은 통념을 깨 부셔버리고 이미 잠재된 능력을 개발시키는 것이다. 경제학자 조지프 슘페터(1883-1950)가 남긴 명언처럼, "독창성은 창조적 파괴행위이다."

혹시 이 책을 충실히 읽고 실천했음에도 변화가 없고 성과가 없다면, 통찰력을 갖지 못했다면, 이 책을 여러 번 읽지 않고 행동으로 취하지 않기 때문이다.

유명한 〈오리지널스〉는 베스트셀러로 국내에서도 2016년 출간되었으며, 저자 애덤 그랜트(Adam Grant)는 미국 와튼 스쿨 대학교 심리학 교수이다. 나는 이 책을 읽고 큰 감동을 받았다. 낡은 통념을 깨고 대세를 거스르는 독창적인 사람이 되었다. 나름 말이다.

이 책은 변화의 기회를 포착하고, 훌륭한 아이디어를 식별해내고, 변화 앞에서 두려움과 마음의 동요를 극복하고, 묵살당하지 않고 자신의 의견을 개진하는 오리지널스만의 비결을 알려준다.

이 책의 원서는 'Originals: How Non-Conformists Move the World(어떻게 순응하지 않는 사람들이 세상을 움직이는가)', 즉 대세에 순응하지 않고, 시류를 거스르며, 구태의연한 전통을 거부하는 독창적인 사람들을 '오리지널스(originals)'로 명명한다. 영어 'originals'는 '원래의'의 뜻보다 '참신한 독창성'이나 '창의력'으로 쓰이고 있다. 애덤 그랜트는 독창성을 '인적이 드문 길을 선택하여 시류를 거스르지만, 참신한 아이디어나 가치를 추구해 결국 더 나은 상황을 만드는 것'이라고 말했다.

미켈란젤로의 독창성

이번에는 천재 조각가 미켈란젤로 이야기를 해 보고자 한다. 26세의 미켈란젤로에게 피렌체 시는 자신들의 상징으로 삼게 할 목적으로 1501년에 다비드(David)상을 조각해 줄 것을 의뢰했다.
미켈란젤로는 대리석으로 3년 만에 다비드상을 완성해냈다.

5.49m의 거대한 다비드 누드상은 시 정부의 자유수호의 상징으로 시청인 팔라조 베키오 앞에 세워졌다. 미켈란젤로는 로마를 향해 피렌체를 위협하지 말라는 메세지를 다비드 상에 담았다. 그렇게 하기 위해 그는 특히 아래쪽 땅에서 올려다보았을 강한 힘을 보여 주기 위해 다비드상의 손과 발, 머리를 특대형으로 만들었다.

〈다비드상〉, 미켈란젤로, 1501–4년경, 대리석, 410cm,
피렌체 아카데미 미술관 소장

미켈란젤로는 르네상스 시대 다비드상을 만들어 단번에 천재 예술가로 불리게 된다. 그는 교황이 시스티나 성당 천장에 초대형 그림을 그려달라고 의뢰했을 때 시큰둥했다고 한다. 여러 이유가 있었지만, 나름 자신은 조각가지 화가가 아니라고 생각했기 때문이다. 그러나 미켈란젤로는 그 일이 너무 부담이 되어서 피렌체로 도피했다. 하지만 교황의 집요한 부탁으로, 그로부터 2년이 지나고 나서야 그는 붓을 들었다고 한다. 다른 이유도 있었지만 독창적이고 창의적인 걸작의 능력이 있었음에도 불구하고, 처음에는 그림을 실현하기 위해 행동하기를 주저했고 도전하기를 두려워했다. 충분히 대작을 할 수 잠재된 능력이 있음에도 말이다.

이번에는 세계 최고의 독창적 걸작 〈천장화〉를 감상해 보자.
미켈란젤로의 가장 유명한 그림이 바로 천장화와 최후의 심판이다. 인류 최대의 걸작 천장화는 4년에 걸쳐 비범한 재능을 발휘하여 그렸다.

〈시스티나성당 천장화〉, 미켈란젤로, 1508년 시작–22년,
길이 40.9m, 넓이 14m, 높이 13.4m. 천장에 12,000점

혁신적
기업가

혁신은 어렵다

> 위기가 온다.
>
> 결과를 두려워하지 말고 승리를 쟁취하라.
>
> _ 앤드류 카네기

'오리지널'의 저자 애덤 그랜트는 이야기의 시작을 혁명적인 기업 와비파커(Warby Parker)라는 회사를 소개하고 있다. '혁신은 어렵다'라는 고정관념을 깬 젊은 청년들의 기업이다. 이 기업은 창업 5

년 만에 미국 경영전문지 '패스트 컴퍼니'가 선정한 혁신 기업 중 애플, 구글, 나이키 등을 제치고 1위로 우뚝 올라선 안경 유통업체다. 그런데 그 놀라운 혁신에는 어떤 성공 비결이 숨어 있었을까?

한마디로 '오리지널스'다.

창립 청년들은 여행 중 안경을 잃어버리게 되고, 비싼 안경 값 때문에 안경을 살 수 없었다. 그래서 이들은 안경 산업계의 거대 공룡인 룩소티카를 쓰러뜨려야 하겠다는 생각을 갖고, 독점하고 있는 기존의 판매 채널을 온라인 판매라는 혁신적인 유통으로 바꾸어서 시가총액 10억 달러가 넘는 기업이 되었다.

창업 청년들이 와비파커 기업의 성공 비결을 말하기를 "일상에서 마주치는 문제를 조금 다르게 생각했을 뿐입니다. 혁신은 생각보다 멀리 있지 않습니다." 지속적인 혁신은 기술혁신을 끌어내고 새로운 경제발전에 기여한다.

혁신은 어렵다. 그러나 혁신하면 크게 성과를 얻게 된다. 혁신가로서 지금 창의적 혁신을 시작해 보라. 혁신적인 사업을 하는 사람에 한정하여 기업가라 말한다.

무일푼에서 성공한 헨리 포드

자동차의 혁신적인 기업은 포드와 GM이다. 두 회사는 경영혁신을 통해 인류에 큰 공헌을 하였다. 1908년 농촌의 기계공 헨리 포드가 완성한 T형 포드는 그때까지 부자들의 장난감이었던 자동차를 대중들이 가장 편리하게 사용할 수 있는 운송수단으로 바꾸어 놓았다. 이는 모두 콘베이어 벨트에 의한 혁신 덕분이었다. 값싸고 양질의 제품의 대량생산이 가능하게 되면서 포드는 무일푼에서 엄청난 부를 얻고 세계적으로 성공한 기업가가 된다.

헨리 포드는 기술자로 시작하였다.

헨리 포드 T형 자동차

헨리 포드(1863-1947)는 어렸을 적부터 기계 만지는 것을 아주 좋아했다. 1879년에는 디트로이트에서 기계공으로 3년간 수업을 받았다. 기계 수리공으로 유명해진 포드는 가솔린 엔진에 전기에 관한 지식이 필요하다고 생각되자, 디트로이트의 토마스 에디슨 전기전등회사에 기사로 취직하기로 결심하였다. 포드는 기계에 대한 직감과 통찰력을 가지고 있었기에 에디슨으로부터 타고난 기술자로 인정을 받게 된다.

　포드가 새로운 차를 개량하고 개선하여 포드 T형 자동차를 만들 수 있었던 것은, 바로 기존의 전통적인 사고의 틀 밖에서 생각하고 도전했기 때문이다. 이는 싸고 좋은 차를 만드는 혁명이 되었다.

　헨리 포드가 전하는 말이다.

　"많은 사람들이 성공을 꿈꾸고 희망한다. 나에게 있어 성공이란 끊임없는 실패와 자기성찰을 통해서만 달성되었다. 실제로 성공은 당신의 일에 있어서 99%의 실패에서 비롯된 단 1%를 말한다."

부(富)의 혁명

부(富)를 부르는 내면의 힘

미래를 읽은 세종대왕

> 편한 삶을 소망하지 말고
> 강한 자가 되길 소망하라.
> _존 F. 케네디

성공하는 사람들은 뭐든지 바로 행동으로 옮기는 공통점이 있다. 반대로 안 풀리는 사람은 기회가 눈앞에 왔는데도 나중에 가서 하면 된다고 일을 미룬다. 이미 기회는 지나가버렸다.

부(富)를 쟁취하는 법칙을 주고 싶다. 오랜 시간 관찰하고 집중하여 여러 현상을 보며 미래사회를 읽고 위험신호를 파악하여 위기에 전략적으로 대응할 수 있는 통찰을 바라는 마음이다.

한번은 '얼굴을 읽으면 성공할 수 있다'는 주제로 강의를 했다. 사람들의 표정과 감정을 읽을 수 있다면 성공한다는 내용이다. 마찬가지로 미래사회의 흐름을 읽을 수 있는 안목을 갖추면 큰 부를 얻을 수 있다.

조선의 제4대 세종대왕이 그랬다. 세종대왕을 수식하는 말 중에 미래를 읽은 왕이라고 말한다. 그의 세종실록에 보면 다음과 같은 이야기가 담겨있다.

세종 재위 18년인 1436년 어느 여름밤, 강녕전에 뱀이 나타난 적이 있었다. 맨 처음에는 궁중의 나인에게 나타났다가 자중에는 왕의 책상 위에서 발견되었다. 이를 보고 세종은 미래를 읽는다.

"금년에는 가뭄이 너무 심하고 천재지변이 누차 나타나고 있는데, 이는 틀림없이 하늘이 나를 꾸짖기 위해 내린 징조이다."

또 1444년 여름에는 강녕전 옆 연생전 뜰에서 궁녀 하나가 벼락에 맞아 죽는 일이 일어났다. 이 사건에 대해서도 세종은 "지금 하늘이 벼락을 내려 꾸짖으니 내가 몹시 두렵다. 사면령을 내려 비상한 은혜를 베풀고자 한다. 무릇 백성을 즐겁게 할 수 있는 일을 함께 의논하여 아뢰라"라고 지시했다.

현재의 여러 상황을 보고 미래의 일을 예측하여 세우는 것은 큰 능력이다. 세종은 지금의 현상을 보고 미래를 읽는 능력을 갖고 있었다. 그리고 그 대안을 세우는 정책을 펼쳤다.

우리는 과거를 보고 또한 현재를 통해서 미래의 불확실한 사회를 전망하고 창의적 대안을 세워야 한다. 통찰력을 갖춘 사람들은 미래를 읽는다.

심리학자인 존슨-레어드(P. N. Jhonson-Laird, 1983-)가 제안한 인식(사고) 모델(mental model)을 보면, "인간은 자신의 마음속에서 세상을 유추하고 미루어 추측한다. 이에 기반을 두어 세상이 움직이는 원리를 창조한다"고 말하였다.

지금의 생각, 패러다임, 관점, 시각, 신념, 상상력 같은 사고 모델은 개인과 기업의 혁신적 융합된 개념으로 존재하게 된다.

문제 해결의 액션 러닝

역사를 공부한 사람들은 '해골물' 하면 원효대사를 떠올릴 것이다. 원효대사(元曉大師, 기원후 617–686)가 중국 당나라 유학길을 가던 중 돌아섰던 까닭은 해골바가지 물에서 깨달음 때문이었다. 원효대사는 의상대사와 함께 다시 구법(求法)의 길을 떠난다. 처음과는 달리 바닷길로 가기로 하고 가다가 어느 날 원효와 의상은 날이 저물어 인적이 없는 산 속에서 노숙하게 되었다. 두 스님은 바람과 한기를 피하여 무덤 사이에 잠자리를 구하고 잠을 청하였다. 잠을 자던 원효가 몹시 심한 갈증을 느껴 눈을 떠보니 캄캄한 밤중이었다. 물을 찾아 주위를 살펴보니 어둠 속에 바가지 같은 것이 있어 다가가 보니 물이 고여 있었다. 한 모금 물맛을 보니 굉장히 달콤하였다. 스님은 단숨에 그 물을 들이키고 안락한 기분으로 새벽까지 깊이 잠들었다.

이튿날 아침, 잠에서 깨어난 스님은 간밤에 자신이 마신 바가지를 찾으려고 주위를 살펴보았다. 그런데 무덤 주위에는 바가지는 보이지 않고 해골만 뒹굴고 있었다. 스님이 바가지라고 여겼던 것은 바로 해골이었다. 달콤했던 물은 그 해골 안에 고여 썩어 있던 빗물이었다. 스님은 갑자기 뱃속이 메스꺼워져 토하기 시작하였다. 그 순간 원효는 문득 깨달았다.

"해골에 담긴 물은 어젯밤과 오늘 모두 똑같은데, 어째 어제는 단물 맛이 나고 오늘은 구역질을 나게 하는 것인가? 바로 그것이다! 어제와 오늘 사이 달라진 것은 물이 아니라 나의 마음인 것이다. 진리는 밖이 아닌 내 안에 있는 것이다."

그리하여 원효대사는 한 순간에 큰 깨달음을 얻었다. 밤사이에 원효의 곁에서 잠을 자고 일어난 의상은 다시 떠날 준비를 하였다. 그러나 아무런 채비를 하지 않고 있는 원효에게 물었다. 그 물음에 답하기를 "이미 도(道)를 구했다면 더 이상 갈 필요가 없지요."

원효대사는 이 말을 남기고 의상대사와 헤어졌다. 그 길로 신라로 되돌아와 무덤에서 깨달은 법으로 중생들을 위하여 설법하였고 많은 저술을 남겼다고 한다.

넓고 깊은 지성을 개척하여 구현하기 위한 가장 실용적인 방법은, 문제를 해결하려면, 먼저 액션 러닝(action learning)을 통해 깨닫고 실용적인 지식을 습득하도록 하는 것이다. 내 삶을 다스리는 것은 외부에 있지 않고 바로 내 안에 있음을 알아야 한다. 우선 마음가짐이 달라져야 삶이 변화된다. 셰익스피어의 명언 "마음이 유쾌하면 종일 걸을 수 있고, 괴로움이 있으면 십리 길에도 지친다."

쓰레기 지식 버리기

흔히 사람들은 성공하기 위해서 대단한 능력을 가지고 있어야 한다고 생각한다. 미국의 심리학자 오토랭크는 〈성공의 조건〉이라는 책에서 인생이 성공하려면 반드시 두 가지 조건이 구비되어야 한다고 말한다.

첫째는, 빈털터리 맨주먹 긍정(마인드)이어야 한다.

둘째는, 남이 갖지 못한 불굴의 투지(열정)가 있어야 한다.

어쩌면 참된 성공이란 무(無)에서 유(有)를 창조하는 것이고, 파멸 속에서도 가능성을 붙들고 기적을 기대하는 것이다. 만약 당신이 가진 것이 없고 환경이 어렵다면, 성공할 수 있는 조건을 구비한 셈이 아닌가, 그렇게 긍정적으로 바라보라.

미래학자 앨빈 토플러는 "혁명적 변화 속에선 지금까지의 지식과 산업시대의 발상은 더 이상 쓸모가 없다. 쓸모없어진 지식, 정보의 홍수 속에 쏟아져 나오는 쓰레기 지식을 버려야 부(富)를 얻을 수 있다"고 말했다.

앨빈 토플러는 어제까지의 지식은 모두 쓰레기 지식이라고 보았다. 또 "21세기의 문맹자는 글을 읽을 줄 모르는 사람이 아니라 학습하고, 교정하고, 재학습하는 능력이 없는 사람이다"라고 말했다.

성공의 전략적 '몰입(flow)'하기 위해서는 동시에 학습도 해야 한다. 개인이든 기업이 집중적으로 몰입하기 위해서는 깨달음과 지식이 함께 따라야 한다. 그리고 새로운 역량을 끊임없이 갈구해야 한다.

호모 심비우스

제5의 물결

세 가지 헛된 확신이 우리를 가로막는다.

내가 잘해야만 한다는 확신,

타인이 나를 대우해야만 한다는 확신,

세상이 힘들지 않아야만 한다는 확신.

_ 앨버트 엘리스

군대가 전투에서 승리하려면 강한 전투력만 필요한 게 아니다. 전장에 나선 장교와 군인이 올바른 의사결정을 내려야 이길 수 있다. 기업 조직 구조도 이와 비슷하다. 성과를 개선시키려면 해당 조직 구조를 통해 경쟁업체보다 신속하고 단호한 결정을 내릴 수 있어야 한다.

우리가 살아가는 이 시대는 끊임없이 변화하고 혁신하며 살아가야만 하는 시대이다. 평생학습과 지식사회라고 불리는 미래사회는 이미 커다란 혁명이 시작되었다. 그것을 물결(wave)이라 한다. 그 물결은 이미 거세게 치고 있다. 경영학의 구르 피터 드러커는 제1의 물결-키우는 것을 의미하고, 제2의 물결-만드는 것을 기반으로 한다고 하였다. 제3의 물결-서비스하는것(serving), 생각하는 것(thinking), 아는 것(knowing), 경험하는 것(experiencing)을 기반으로 한 정보와 지식이라고 하였다. 반면 미래학자 앨빈 토플러는 혁명적 부(富) 창출의 요인으로 시간, 공간, 지식을 꼽았다. 그렇다면 제4의 물결은 무엇이라고 할 수 있겠는가?

학자들마다 주장하는 것이 다 다르지만 이미 제4의 물결은 거세게 치고 있으며 변화의 속도는 가속화되어 모든 영역에서 수용되어지고 있다. 앨빈 토플러의 분석에 따르면, 제1의 물결인 농업혁명이 수천 년이 걸렸고, 제2의 물결인 산업혁명은 300년이 걸렸다. 반면 제3의 물결인 정보혁명은 불과 20-30년 만에 이루어졌다. 제4의 물결은 이미 우리의 삶 깊은 곳까지 스며들어 변화를 주도하고 이미 지나가고 있다.

이제 새로운 융합과 공유경제라는 물결을 읽고 준비해야 한다. 그 제5의 물결은 철학과 인문학의 토대에서 융합(convergence)이 없이는 버텨낼 수 없다. 깊이가 있는 상상력과 다름의 사고, 차별화, 인문학적 관계를 통해 더 나은 창의적 융합을 만들어내야만 한다.

지금 우리는 제5의 물결을 읽고 준비해야 한다.

호모 심비우스

혁명의 시작은 생각의 혁명이다. 즉 다름의 생각, 미래를 읽는 힘이다. 르네상스 시대인 1637년 철학자 데카르트는 "나는 생각한다. 고로 나는 존재한다(라틴어: Cogito, ergo sum, 코기토 에르고 숨)"라고 말했다. 그런가하면 고대 그리스 철학자 아리스토텔레스는 "인간은 사회적 동물이다"라고 했다. 인간은 엄밀히 말하면 동물과는 확연히 다르다. 인간만이 창의적인 성과와 문화를 만들 수 있기 때문이다. 이는 성찰능력과 학습능력 그리고 생각하는 힘을 통해 가능하다.

이성이 없는 동물은 사람처럼 고차원의 생각을 할 줄 모른다. 그래서 사람도 동물은 동물인 데 생각하는 동물(호모 사피엔스, Homo sapiens)이다. 유명한 철학자이며 수학자인 블레즈 파스칼은 사람을 '생각하는 갈대'라고 했다. 뒤집어 말하면, 사람은 갈대처럼 약하지만 '생각을 한다'는 의미이다. 이렇게 생각하는 능력을 학문에서는 '이성(理性)'이라고 한다. 이성은 사람에게만 있는 독창적인 능력이다. 이 무기를 잘 활용해야 한다. 그래서 다름을 인정할 때, 창의성이 나온다. 문제를 인식할 때 상상력이 발휘되고 목표에 집중할 때 기적이 일어난다.

결국 창의성과 상상력의 본질은 다르게 생각하고 나만의 돋보이는 무늬가 있어 다르게 보는 힘이다. 그러므로 생각을 바꾸면 새로운 것이 보이고 결국 부의 물결에 올라 탈 수 있다. 이는 생각하는 인간에게만 주어진 특권이다.

지금은 호모 사피엔스를 지나 호모 심비우스(Homo Symbious 공생)이다. 이 단어는 '함께with'라는 뜻을 담고 있으며 고대 그리스어 '삶 living'에 뿌리를 두고 있다. 즉 '동료 인간들은 물론 다른 생물 종들과도 밀접한 관계를 유지한다'는 공생적 의미이다.

앞으로 사회는 호모 심비우스가 이기게 된다.

꿈을 펼치는 실천적 삶

프랑스 위대한 인상파의 개척자 화가 클로드 모네(Claude Monet, 1840-1926)는 80세에도 여전히 명작을 그렸는데, 그는 하루에 12시간 작업을 했고 심지어 시력을 거의 다 잃었을 때까지 그렸다. 임종하기 직전까지 붓을 놓지 않았던 열정과 투혼이 대단한 화가이다. 인상주의 이후 최고의 화가라고 할 수 있는 파블로 피카소도 마찬가지로 90세가 넘어 죽을 때까지 그림을 그렸다. 게다가 피카소는 70대에 '입체파'라는 새로운 형식의 유파를 개척했다. 20세기 최고의 연주자인 파블로 카잘스는 97세로 죽는 그날에도 새로운 곡을 연주할 계획을 세웠고 연습했다. 현대 물리학의 거장 막스 프랑크는 40대 이후에 중요한 과학적 업적을 남기지 못했지만, 2가지 다른 경력을 보냈다. 1918년 60세 이후부터 그는 독일의 과학계를 재편했다. 1933년 나치로부터 강제로 은퇴를 당했으나, 거의 90세가 다 된 1945년경 히틀러가 몰락한 뒤 그는 독일의 과학을 또한 번 재편했다.

"20세기의 회사가 보유한 가장 가치 있는 자산은 회사의 생산시설이었다. 21세기 조직이 가장 가치 있는 자산은 지식 근로자가 그들의 생산성이 될 것이다."

지금 우리의 최고 가치 있는 자산은 나이와 환경에 관계없이 굳게 세운 꿈을 펼치는 실천적 삶이다. 이는 최고의 가치 있는 삶이다.

〈인상-해돋이〉, 클로드 모네, 1874년

인상주의 혁명

전통에서 벗어나기

홀로 모든 것을 이뤄낼 수는 없다.
주변에 있는 사람들을 부자로 만들어야
당신도 부자가 될 수 있다.

_ 앤드류 카네기

미술에서 '인상주의'하면 색채 묘사의 혁명을 일으킨 것을 의미
한다. '클로드 모네', '르누아르', '바질', '시슬리' 등이 대표적인 인상

주의 화가이다. 인상주의 화가들은 일반 살롱에서 작품이 거절되자 자신들의 뜻을 모아 각자의 개성에 따라 다양한 화법으로 그린 작품전을 통해, 특히 모네의 〈인상-해돋이〉를 가리켜 '본질'보다는 '인상'을 그렸다고 쓴 야유 섞인 비평에서 비롯되었다.

인상주의자들은 근본적으로 사실주의자들의 태도를 계승하였다. 그러나 그들에게 자연은 확고부동한 것이 아니라 끊임없이 변화하는 유동적인 것이었으며, 변화의 원인은 태양 광선의 작용이라고 생각한다. 인상주의자들은 태양 광선의 작용에 따라 도시를 벗어나 자연 대상이 시시각각으로 변하는 순간을 포착하고자 야외에서 주로 작업하였다.

이처럼 인상주의자들이 미술의 역사를 바꾸었다. 그동안 미술은 고전이라는 틀 속에 갇혀 있었다. 그러나 그들은 대상의 재현에서 화가의 생각을 구현으로 변화시켰다.

이것은 전통 미술에서 벗어난 길이며 현대 미술의 시작이 된다. 기존 회화 기법을 거부하고 선보다는 색채로, 색다른 기법으로 그렸다. 사실 화가의 개인적인 시각을 그림으로 구현한다는 것은 이미 그 자체로 혁명이다.

다음 마네의 〈풀밭위의 점심식사, 1863〉 작품을 보라. 이는 미술의 혁명이다. 왜 혁명적인 그림인가? 감상해보자.

〈풀밭 위의 점심식사〉, 에두아르 마네, 1863, 오르세 박물관

창의적 지식 인재 자원

들어선 4차 산업혁명 시대에 새로운 사회 변화가 일자리 수를 증가시켰다. 사실 일자리 창출의 동력으로 활기를 뛰고 있다. 어떤 사람들에게, 어느 기업들? 바로 미래사회와 트렌드, IT산업, 미래 노동을 읽고 미리 대비한 기업은 4차 산업혁명 시대의 수혜를 한껏 누리고 있다. 결국 미래혁명은 새로운 직업과 일자리 창출의 기회가 된다. 창의적 아이디어가 기술이 되기 때문이다.

그러므로 창의적 지식 경제는 인간 행위의 산물이다. 개인과 기업은 지적 자산을 끊임없이 학습하고 개선시켜나가야 한다. 한마디로 창조적인 지식을 갖춘 인재를 지식 근로자(Knowledge Worker)라고 본다. 이는 경영학자인 피터 드러커가 처음 제시한 개념으로, 1959년 저서 〈랜드마크스 오브 투모로〉에서 "지식 근로자는 지식 사회에서 중요한 역할을 한다"고 기술했다. 즉 지식 근로자라는 개념은 지식이 하나의 자원이라는 생각에서 비롯됐다. 지식 근로자는 스스로의 지식을 보유하고 이를 활용하는 사람이다. 미국의 작가 로버트 라이츠에 따르면 "학습은 지식 기반 경제에 있어 새로운 형태의 법정 화폐와 같은 것이다"라고 말했다. 그래서 지식 창조는 학습 활동이 작용하여 역동적인 나선형 구조를 형성할 때 일어난다.

　나는 여러분들이 창의적 지식 인재로서 혁신적 삶을 개척하며 살기를 바란다. 이러한 사람들에게는 노동의 새로운 기회가 생긴다. 피터 드러커는 미래사회의 지식 기반의 경영을 매우 중요시했다. 이를테면 "개인과 기업의 지식, 그리고 두뇌 집단은 기업 세계에서 실체적인 물질 자산을 대체해 없어서는 안 될 아주 중요한 자산이 되었다." 따라서 앞으로 기업과 개인의 성패는 지적 역량을 어느 정도까지 강화하느냐에 결정될 것이다. 즉 리더들에 의해 창조된 지식이 전략적 경영이 되어야 한다. 조직은 지식 자산을 축적해낼 수 있는 유능한 리더들을 유치, 개발, 보유해야 한다. 그리고 스마트하고 재능 있는 인재를 유치하고, 그들의 지적 역량을 고무시켜 가능한 한 최고의 경쟁력이 되게 해야 한다.

　그렇다면 지식 인재가 되기 위해 무엇을 해야 할까?

　미국 제조업자협의회(NAM)가 제시하는 지식 근로자의 필요조건 5가지는 다음과 같다.

　첫째, 컴퓨터(인터넷, SNS)와 친구가 되어야 한다.

　둘째, 개선과 새로운 역량개발에 대한 의지가 필요하다.

셋째, '어떻게' 해야 되는가 뿐만 아니라 '왜' 해야 하는지도 알아야 한다.

넷째, 강력한 대인관계 능력이 필요하다.

다섯째, 투철한 기업가정신을 가져야 한다.

다음 기업 사례로 좋은 예가 있다.

샤프나 오라클 같은 선구적 기업들은 자신들이 보유한 지적 자산의 활용을 도식화하고, 미래에 필요로 하는 지식 비전을 특정 활동과 목적에 연결시켜나가고 있다. 그리고 지식 창조기업이 가장 필요로 하는 전략은 혁신의 중요성이다. 거기에 독창적인 가치 창조 전략을 도입해야 한다. 결국 가장 중요한 지식 경영은 다음의 활동으로 구성되어 순환 될 수 있다.

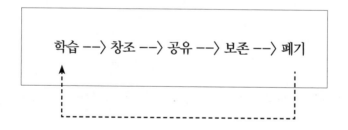

학습 --〉 창조 --〉 공유 --〉 보존 --〉 폐기

지혜로운 까마귀 이야기

승리는 남을 이기는 것이 아니라
바로 자기 자신을 이기는 것이다.

_ 로저 스타우바크

인도의 민족운동 지도자이자 건국의 아버지로 불리는 마하트마
간디(1869-1948)는 "세상에서 보기를 바라는 변화, 스스로 그 변화
가 되어야 한다."라는 말을 남기었다.

목이 너무 말라 죽을 지경인 까마귀가 물이 조금 들어있는 목이 긴 단지를 발견하게 된다. 까마귀는 단지 속의 물을 마시려고 여러 번 시도하지만 짧은 목으로는 물까지 닿을 수가 없었다. 무거운 단지를 넘어뜨리려고 애를 써보지만 쉽지 않았다. 갈증은 커지고 까마귀는 절망에 빠진다. 그때 까마귀에게 좋은 생각이 떠올랐다. 주변에 있는 작은 돌들을 단지 속에 채워 넣기 시작했다. 그러자 단지에 돌이 차면서 물이 올라오기 시작한다. 그리고 까마귀는 물을 마실 수 있게 된다.

이 우화는 〈이솝 이야기〉에 실린 이야기다.

참으로 지혜로운 까마귀이다. 영어 속담에 '필요는 발명의 어머니'라는 교훈의 예로서 자주 인용된다. 목마른 사람이 우물을 판다고 했지 않은가? 필요는 창의적 성과를 만든다.

인간이 이동할 필요가 있기 때문에 배, 마차, 자전거, 자동차, 비행기, 우주선 등을 발명했고, 그에 따른 기술과 사회를 끊임없이 발전시켜 왔다.

이것저것 해보는

판화로 제작된 척 클로스 자화상

척 클로스(Chuck Close)는 뉴욕의 사진작가이다. 독특한 자화상 작가로 유명한 그는 판화의 통념을 바꿔놓은 대표적인 작가이다. 그는 갑자기 화가로서 손이 마비되는 위기를 겪게 된다. 갑작스런 신경근육계 마비로 남은 인생을 반신불수자로 살아야 한다는 진단을 받았다. 화가로서 손을 자유롭게 쓸 수 없었다. 그러나 이 상황을 창의적 기회로 바꾼다. 척 클로스는 손목에 붓을 묶어 그림을 그리며 계속적인 작품 활동을 해나가면서 새로운 기법과 스타일을 창조했다. 사진 위에 무딘 손놀림으로 그릴 수 있는 큰 사각형을 여러 개 그려 멀리서 보면 사람의 얼굴이 입체로 보이게 하는 새로운 표현법을 개발했다.

척 클로스는 한 언론사의 기자가 "어려운 여건 속에서도 새로운 예술 기법을 발명할 수 있었던 창의성이 어디서 나오는 것입니까?" 그 비결을 물었다. 그는 다음과 같이 대답을 했다.

"아이디어가 나올 때까지 계속 작업을 하면서 이것저것 해본다."

그런데 그가 '이것저것 해보는' 기간은 사실 아주 길었다. 한 작품을 무려 13년에 걸쳐 제작하기도 했다. 하나의 작품이 서서히 자라도록 13년 동안 세 번에 걸쳐 새로운 기법으로 재작업 해 전혀 새로운 스타일의 사진 예술을 완성한 것이다. 또 척 클로스는 "영감을 어디에서 얻는가?"라는 질문에, "영감은 아마추어들이나 찾는 것이죠. 우리 프로들은 그냥 아침에 작업실에 일하러 갑니다. 꾸준히 작업을 하는 행동 자체에서 무엇인가가 자라나기를 기다립니다. 열심히 일하다 보면 새로운 것이 발견됩니다"라고 답하였다.

척 클로스는 어린 시절부터 몸이 건강하지 않아 항상 외톨이와 같은 삶을 살았다. 5살 때 아버지가 이젤과 유성 페인트를 생일선물로 사주면서 그리게 되었던 유일한 친구는 그림뿐이었다. 이러한 어려운 환경에도 불구하고 워싱턴 대학까지 졸업하고 유명한 작가가 되었다.

자신이 하고 싶고 좋아하는 분야에서 창의적 기적이 일어난다. 어려운 환경은 그리 문제가 되지 않는다. 지속적이고 질주하는 열정은 문제의 환경을 바꾸어 버리기 때문이다.

예술적 창의성

앞으로 기업의 경쟁력은 인재가 좌우한다. 그래서 "사람이 곧 기업의 미래다"라는 격언은 무한경쟁에 돌입한 기업들이 한결같이 붙잡고 있는 화두이다.

창의성(Creative)은 갑자기 튀어나오는 것이 아니라 서서히 자라나는 것이다. 'Creative'의 뜻 '키워낸다'에서도 알 수 있다.

옛 아랍속담에 보면 '떨어져본 새가 날아오른다'는 말이 있다. 그리스 최초의 의사였던 히포크라테스(기원전 460–370)의 명언에 "예술은 길고 인생은 짧다(Art is long, Life is short)"라는 말이 있는데, 원래 라틴어로 'Ars'는 '일' '지식' '능력' '기술' 등을 뜻하기 때문에 제대로 번역하면, "일 하나 똑바로 배우려면 평생 해도 모자란다"는 의미이다. 즉 창의적인 혁신은 실패와 경험을 바탕으로 하는 아주 느린 과정이라는 것을 고대 그리스의 의사 히포크라테스가 이미 경험했던 것이다.

창의성을 간단히 정의할 수는 없으나 사전적 의미를 보면, 전통적인 사고방식에서 벗어나 새롭고 독창적인 것을 만들어 내는 능력이다. 또 새로운 생각이나 개념을 찾아내거나 기존에 있던 생각, 개념들을 새롭게 조합해 내는 것과 연관된 정신이라고 할 수 있다.

'예술적 창의성'은 고유한 아이디어를 만들고 세상을 해석하는데 텍스트, 소리, 이미지, 영상, 작품, 건축, 몸짓 등으로 표현할 수 있는 방법과 상상력을 필요로 한다.

'과학적 창의성'은 호기심과 관찰, 실험에 대한 의지 및 문제해결을 하는데 새로운 연결방식을 만들어내는 것과 관련이 있다.

그리고 '경제적 창의성'은 기술, 산업, 마케팅 등에서 혁신을 유도하는 역동적인 과정으로 경제 부문에서 경쟁우위 확보와 밀접한 관련이 있다.

크로와상

그래서 단어 창의성(Creative)은 아기, 동물, 곡식 등이 '자라다'를 뜻하는 라틴어 'crescere'가 어원이다. 초승달이 자라면 반달이 되고 반달이 자라면 보름달이 되는 데, 초승달 모양의 빵을 프랑스어로 '크로와상(croissant)'이라고 부른다. 그 유래를 보면, 1683년 오스트레일리아의 군대가 터키의 오스만 제국군에게 포위되어 있었다. 그리고 그때 터널을 파고 진입하려던 오스만군을 아침 일찍부터 일하고 있던 빵가게의 신고로 격퇴할 수 있었다고 한다. 그래서 그 공로로 빵가게는 국왕으로부터의 특권을 하사받았다. 그에 빵가게는 고마움의 표시의 '터키를 먹다'라는 의미로 오스만군의 문양인 초승달 모양의 빵을 만들었다. 오스트레일리아 인들은 이 빵을 먹으면서 승리를 자축했다. 이것이 바로 크로와상의 시작이라고 한다.

이렇게 창의성(Creative)은 전구가 켜지는 것처럼 갑자기 툭 튀어나오는 생각이 아니다. 시간이 경과하면서 초승달이 점점 동그랗게 차오른 것, 마치 밭에 씨를 뿌리면 식물이 서서히 자라는 것, 음악 소리가 천천히 올라가다가 절정에 달해 콘서트홀을 가득 채우는 것처럼 서서히 자라나는 것이다. 한마디로 창의성은 초승달에서 반달, 반달이 자라서 보름달이 되듯이 서서히 자란다.

프랑스 시인 라마르틴은 자신의 시 쓰는 방법에 대해 이렇게 말했다. "정원을 걸으면서 명상을 하다보면 갑자기 하늘에 쓰여 있는 시구가 보인다." 그의 시는 수백 번 수정한 노트를 통해서 나온 것이다. 시간적 여유를 가지고 쓰고 또 쓰고 고쳐 쓰다가 자라난 결과물이었던 것이다.

창의성은 갑자기 툭 뛰어나오는 것이 아니다. 뚝딱 만들 수도 없다. 천천히 그리고 꾸준히 하다보면 서서히 자라나 얻어지는 산물이다. 그러므로 돈이 되는 기술혁명은 모두 기존의 상식을 벗어난 도전을 계속해온 결과이다. 많은 시행착오 끝에 얻어진 것이다.

빨리 달리는 기계

　사회의 기술과 문화는 앞치락 뒷치락 경쟁하듯 상호작용하며 성장해 왔다. 우리 사회의 자전거 기술의 발전을 보면, 기술과 문화가 융합되어 더 편리한 사회로 발전되어 가는 것을 알 수 있다. 바퀴는 문자와 함께 인류의 가장 위대한 발명품으로 꼽힌다. 마차, 자전거, 기차, 기계 등을 만드는 데 가장 기초가 된다. 바퀴가 처음 만들어진 것은 기원전 4500년 수메르 지역에서였다.

　프랑스 혁명이 일어난 지 2년 후인 1791년 프랑스의 귀족 콩트 메데 드 시브락(Conte Mede de Sivrac)이 두 개의 바퀴가 달린 목마를 타고 파리의 팔레 루아얄(Palais-Royal) 정원에 나타났다.

　이 목마는 나무 바퀴를 목재로 연결하고 그 위에 올라타서 발로 땅을 번갈아 밀고 앞으로 나가도록 한 것이었다. 시브락의 기계에는 '셀레리페르(Célérifère)'라는 이름이 붙었는 데, 이것은 '빨리 달리는 기계'라는 뜻이었다. 자전거는 빨리 달리는 기계로 태동되었던 것이다.

　한마디로 사회의 문화 경제학(Cultural economics)이란 문화 속에 숨어 있는 생활 경제원리를 찾아내는 것이다.

자전거의 조상이라고 할 수 있는 '셀레리페르'(출처: 구글 이미지)

1880년 오디너리(ordinary) 자전거(출처: 위키백과)

1871년 영국의 제임스 스탈리는 앞바퀴가 유난히 크고 뒷바퀴는 작은 오디너리 자전거를 만들게 된다.

불광불급(不狂不及)

피드백 분석력

빛을 발산하려면 타들어가는 고통을 견뎌야 한다.

_ 빅토르 프랑클

사실 자신이 하는 일에 미치지 않고 이룰 수 있는 큰일이란 없다. 학문도 예술도 사랑도 주변을 온전히 잊는 몰입 속에서만 빛나는 성취를 이룰 수 있다. 비즈니스는 말할 나위도 없다. 한 시대에 역사를 이루고 큰 업적을 이룬 사람들은 분야에 관계없이 모두 열

광의 성취 속에는 스스로도 제어하지 못하는 광기와 열정이 깔려 있었다는 것이 공통된 특징이다.

조선후기 정치가 박제가는 〈백화보서〉에서 힘주어 말한다.

"미치지 않고는 될 수 없는 일, 홀로 걸어가는 정신이란 남들이 손가락질을 하든 말든, 출세에 보탬이 되든 말든 혼자서 뚜벅뚜벅 걸어가는 정신이다."

미래의 부(富)는 철저하게 창의적 관점을 가지고 혁신해야 얻을 수 있다. 그러므로 리더는 근무자의 강점이 어떤 것인지 알아야 한다. 미국의 프랭클린 루스벨트 대통령은 내각의 인사를 시행하면서 늘 이렇게 이야기했다.

"중요한 것은 그 사람에게 어떤 약점이 있는가가 아니다. 가장 중요한 것은 그 사람이 가장 잘 할 수 있는 일이 무엇인가 하는 점이다. 강점 말이다."

우선 지금 나의 강점은 무엇인가? 우리 조직의 강점이 무엇인가?를 아는 것이 더 중요하다. 사람은 오직 자신의 강점으로만 성과를 올릴 수 있다. 약점을 바탕으로는 성과를 쌓아올릴 수가 없다. 따라서 자신이 무슨 일에 적합한지를 알기 위해 자신의 강점을 알아두어야 한다. 강점을 발견하는 방법 중에 하나는 피드백 분석이다. 피드백 분석은 어떤 일을 함으로써 강점을 최대한 발휘하는데 방해가 되는지, 혹은 어떤 일을 하지 않기 때문에 강점이 최대한 발휘되지 못하는지 알려준다.

그러므로 성공적인 삶이란 멋진 계획만 세운다고해서 얻어지는 것이 아니다. 자신의 강점, 일하는 방식 그리고 자신의 가치관을 철저히 피드백하여 기회를 맞을 준비가 되어 있는 사람만이 성공적인 경력을 쌓아 나갈 수 있다. 이 때 창출의 결과가 만들어진다. 누구든 억지로 시켜서 어쩔 수 없이 투덜거리며 하는 일에서 창의적 산출물이 나오지 않는다. 마치 이성 친구를 대하듯이 설레고 기대하는 느낌으로, 흥미를 가진 일에 전념하고 몰입할 때 창의적 기적이 일어난다.

그렇다면 철저히 피드백 분석하여 내가 가장 잘하는 것, 내가 능히 할 수 있는 것, 그리고 내가 가장 좋아하는 것? 이 세 가지의 교집합을 찾아보라. 모두 다 일치하면 성과를 내고 성공을 누릴 수 있다.

신들린 직업

창의적 인재와 깊은 지식이 융합되면 뛰어난 창조가 나온다. 신바람이 날 정도로 좋아하는 일을 찾아야만 그 일을 즐겁게 충분히 잘 해낼 수 있다. 진짜 부(富)의 성취는 스스로가 지금 하는 일을 즐길 때 이루어진다.

이렇듯 즐기는 일을 사자성어로 '불광불급(不狂不及)'이라 말한다. '미치지 않으면 이룰 수 없다'는 의미이다. 그러면 '미친다는 것'은 어떤 의미인가? 이는 한 가지에 깊이 파고들어 완전히 몰입한다는 말이다.

천재들의 성공과 실패를 결정짓는 요소를 보면, 실패한 천재는 잘하는 자신의 재능을 찾지 못했고, 성공한 천재는 잘하는 재능을 찾았기 때문이다. 이처럼 좋아하는 일은 자주하게 되고 자주하다 보면 미치게 된다. 미치게 되면 능숙하게 잘하게 된다. 애플의 창업주였던 스티브 잡스가 그랬다. "미칠 정도로 멋진 제품을 창조하라 아니면 세상을 감동시켜라." 그는 자신이 좋아하는 일을 해서 성공한 대표적인 사람이다.

한 잡지사의 조사에 따르면, 자신이 좋아하는 직업을 가진 사람은 단지 8%에 불과하다. 그렇기 때문에 대부분의 사람이 현재의 삶과 직업에 만족하지 못하거나 염증을 느끼는 것이다. 세계 최고의 부자인 빌 게이츠와 워런 버핏은 자신들의 성공 비결을 이렇게 말했다. 먼저 빌 게이츠는,

"저는 정말 좋아하는 일을 했습니다. 제가 좋아하는 일이기 때문에 열심히 할 수 있었고 심취할 수 있었습니다. 어떠한 성공을 원하건 진심으로 좋아하는 일을 하는 것만큼 최상의 방법은 없습니다." 또 그는 자신의 적성에 맞는 일을 하는 것이 즐겁다면서 이렇게 말했다. "저는 세상에서 가장 신나는 직업을 갖고 있습니다. 매일 일하러 오는 것이 그렇게 즐거울 수가 없습니다. 거기엔 항상 새로운 도전과 기회, 배울 것들이 기다리고 있습니다. 누구든지 자기직업을 저처럼 즐긴다면 결코 탈진되는 일은 없을 것입니다."

투자의 귀재이며 갑부인 워런 버핏도 자신이 가장 좋아하면서 잘할 수 있는 일에 심취해서 성공할 수 있었다고 한다. 주변 사람들은 자신의 일에 미쳐 있는 버핏을 보고 이렇게 말했다.

"버핏은 하루 24시간 버크셔 회사에 대해 생각합니다."

그렇다면 세계 최고 부자 빌 게이츠와 워런 버핏이 성공할 수 있었던 공통점은 무엇이었는가? 바로 "불광불급(不狂不及)"이었다.

자신들의 직업을 신들린 듯이 즐겼다.

우리들도 자신이 선택한 일에 불광불급으로 취하길 바란다.

응전(應戰)의 자세

혁신을 성공적으로 수행하려면 자신의 강점을 바탕으로, 넓은 시야로 기회를 탐색해야 한다. 그런 다음에는 주변에 혁신가의 자문을 받아야 한다. 그리고 혁신은 늘 트렌드 시장과 밀접한 관계를 맺어야 하고 시장에 초점을 맞추어야 한다. 이미 시작된 미래 혁명 사회는 천재적인 능력이 아니라 성실함을 바탕으로 전문 인재 확보가 핵심이다. 그리고 혁신적 사고를 갖고 변화를 대비하여 응전(應戰)의 자세를 가져야 한다. 이는 지식 근로자들의 책임이자 임무이다.

역사에는 '만약(if)'이란 없다고 한다. 이미 지나간 일에 가정법을 세워 역사를 다시 엮을 수는 없는 것이기 때문이다. 그럼에도 불구하고 우리는 '만약'이라는 가정을 세워 미래를 제대로 읽고 준비해야 할 것이다. 이미 와 있지 않은가, 이 엄청난 큰 위기와 혁명을 철저한 응전의 자세로 극복할 수 있어야 한다.

　어니스트 밀러 헤밍웨이의 〈노인과 바다〉는 독일의 철학자 게오르크 빌헬름 프리드리히 헤겔(Georg Wilhelm Friedrich Hegel, 1770-1831)의 이론을 빌려 만들어진 작품이다. 헤겔은 관념철학의 아버지로 불린다. 헤겔의 변증법(이견을 합리적인 토론으로 해결)이란 만물이 본질적으로 끊임없는 변화 과정에 있음을 주장하면서 그 변화의 원인을 내부적인 자기부정, 즉 모순에 있다고 보았다. 원래의 상태를 정(正)이라 하면 모순에 의한 자기부정은 반(反)이다. 만물은 이 모순을 해결하는 방향으로 운동하며 그 결과 새로운 합(合)의 상태로 변화한다. 이 변화의 결과물은 또 다른 변화의 출발점이 되고 이러한 변화는 최고의 지점에 도달할 때까지 계속된다.

　헤겔은 인간의 역사 역시 변증법적 발전을 겪는다고 파악하였다. 그 결과 이성이 최고의 발전 단계에 이르러 더 이상의 변화가 필요 없는 상태가 되었고, 이를 역사의 종말이라고 명명하였다. 즉 이성이 진보를 일궈내는 메커니즘이 바로 변증법이라고 보았다.

　헤겔의 〈정신 현상학〉에 나오는 주인과 노예의 변증법은 이렇다. 만약 주인이 노동을 하지 않으면 방탕하게 생활하는 승자로서 몸과 마음이 점차 타락해 간다. 하지만 노예는 물건을 만들어내며 기술을 익히기 시작한다. 기술을 익힌 노예는 심지어 설계를 할 수 있는 지경에까지 이른다.

헤밍웨이의 〈노인과 바다〉는 산티에고 노인이 매일 바다에 나가지만 40일간 아무것도 잡지 못하다가 결국 대어를 낚아 집으로 온다는 이야기이다.

이 소설은 주인과 노예의 변증법으로 해석한다. 당연히 주인은 노인이고 그의 상대가 물고기이다. 노인은 손이 터지는 아픔을 참아내며 3일간이나 물고기와 혈투하듯 싸운다.

결국 응전(應戰)의 자세의 결과이다. 노인이 물고기를 잡는 데 성공했을 때, 이 둘의 싸움은 투쟁심에서 동지애라는 애틋한 감정으로 이행한 후였다.

9부

더 점진적 혁신 시대

미래 스마트경영 혁명

스마트 세대를 읽는 힘

나의 경쟁자는 누구

> 인생에서 큰 위험은 어쩌면 지나치게 신중한 태도이다.
>
> _ 알프레드 아들러

이솝우화에 나오는 유명한 이야기이다.

느릿느릿한 거북이와 빠른 토끼와의 경주에서 누가 이기었는가?

이론적으로는 토끼가 이겨야 하는데 느린 거북이가 이겼다. 그

이유로 거북이는 토끼를 경쟁자로 보지 않고 최종 목적지만을 보

고 뛰었다. 그러나 토끼는 목표를 보지 않고 함께 뛰는 거북이를 경쟁자로 보고 뛰었다. 그렇다면 나의 경쟁자는 누구이며 어디를 최종 목적지로 보고 뛰는가?

내가 바라보는 목표물이 내 뒤에 있는 느린 거북이가 되어서는 안 된다. 저 언덕 위 깃발이 나의 최종 목적지가 되어야 한다.

이러한 정신을 갖고 먼 미래에 목표를 두고 뛰었던 기업이 있다. 바로 1983년 삼성 창업주 이병철 회장의 반도체 투자이다. 삼성은 세계 기업브랜드 가치순위 10위권 안에 있다. 이는 세계 역사에서 찾아볼 수 없는 기적 같은 결과다. 한 예로 삼성 사장단들의 긍정적인 면을 보면, 매주 수요일 오전 8시에 서울 서초동 삼성 사옥 39층 이곳에 40여 명의 삼성그룹 사장들이 한 장소에서 모여 전문가들을 초청해 강의를 듣는다. 이는 창업주 이병철 선대 회장 시절부터 이어오고 있다. 삼성그룹 사장들은 최고의 학벌과 실력을 갖추었지만 배움의 자세로, 다름의 가치를 발견하고자 전문가들의 강의를 듣고 배운다.

스마트 경영은 현재 말고 미래가 나의 경쟁자가 되어야 한다. 앞으로 5년, 10년을 바라보고 새로운 배움과 창의적 도전을 갖는 기회가 되었으면 한다. 약육강식의 치열한 생존사회에서 살아남으려면 나의 경쟁자가 누구이고 어디를 향해 뛰는지를 바로 알고 최선을 다해 준비해야 한다. 이는 이기는 전략으로 부를 얻게 된다.

변화를 읽는 예리한 눈

영국의 자연철학자 뉴턴(1642-1727)이 당시 유행하던 흑사병을 피해 고향집에 내려와 있던 중 정원에서 사과가 떨어지는 것을 보고 만유인력의 법칙을 깨달았다는 이야기는 너무도 유명하다.

물론 수학학자 아이작 뉴턴 이전에도 사과나무에서 사과가 떨어지는 것을 본 사람들은 있었다. 그런데 그들 중 대부분은 일상에 길들여진 눈으로 바라봤기에 의문을 제기하지 않았다.

우리는 이제 예리한 눈으로 일상을 바라보고, 관찰자의 눈으로 자신을 바라보아야 한다. 앞으로의 변화를 발견하고 미래사회를 읽고 대비할 수 있어야 한다.

지금 우리는 창의적 지식을 사유해야 하는 시대에 살고 있다. 또한 창의적 사고와 거시적 경영이 절실히 필요한 시대이다. 능히 4차 산업혁명을 읽는 예리한 눈을 갖추고 시야를 넓혀 세상을 보아야 한다.

뉴턴이 떨어지는 사과를 보는 이미지(출처: 구글 이미지)

관찰자의 눈

세종대왕은 아직 나라의 기틀이 잡히지 않은 조선 초기에 리더십(위민정치)으로 국정을 운영하였고, 백성에게 학습의 기회를 준 혁신적 문자인 한글을 창조하였다. 특히 세종의 역사관과 미래에 대한 책략은 가히 시간과 공간을 뛰어넘어 예리한 통찰력을 갖고 있었다. 또한 성군으로서 기품이 배어 있는 인품 그 자체라 할 수 있다. 역사 속 지혜를 중시한 세종대왕은 미래에 대한 놀라운 혜안으로 조선의 부흥을 이끈 성군이었다.

특히 세종대왕은 백성들이 시각을 알 수 있도록 경복궁 안에 자격루(自擊漏)를 설치하였다. 자격루 소리를 이어받아 광화문과 종로에서 북과 종을 쳐 백성들에게 때를 알려주었던 것이다.

인간에게 시간이 갖는 의미란 결코 작지 않다. 현재를 성찰하고 앞날에 대한 계획과 미래를 예견하는 단초가 되기 때문이다. 세종대왕은 주어지는 시간의 중요성을 간파했고 미래의 시각을 아는 것이 얼마나 중요한지를 백성들에게 알려주고 싶었던 것이다.

우리도 시간 속에 담겨 있는 창의적 생명과 역사 그리고 문화와 기술을 활용하여 더 풍요롭게 살기를 바란다.

지금 우리에게 시간을 지배하여 인문학적 삶을 누릴 수 있는 자격루의 소리가 필요하다. 시간을 지배하여 앞질러 갈 수 있는 지혜를 갖추어야 한다.

스마트경영은 현재에 급급하기보다는 미래를 살기 위해 창조적으로 노력한다. 베끼기보다 창조적 도전을 즐긴다. 경쟁력을 갖추기 위해서 스마트경영을 택한다. 필히 관찰자의 눈으로 세상을 본다.

신(新) 세대

Me 세대, 낀 세대(cusper)를 알고 있는가?

그렇다면 서로 다른 두 세대 사이에 맞물려 있는 세대는?

이들은 자기중심적 세대로 1982-2000년 사이에 출생한 세대이다.

그리고 자신감이 넘치는 세대들이다.

지금 우리 사회와 조직은 신(新) 세대 문화를 이해하는 것이 무엇보다 중요하다. 필히 4차 산업혁명 시대는 필히 밀레니얼 세대(Millennial)의 문화를 정확히 알아야 한다. 현 사회에서 가장 큰 영향력을 행사하는 소비자 집단 세대다. 이 세대들이 시장에 가장 큰 영향력을 행사하고 변화를 주도하고 있다. 어떤 세대보다 출생자가 가장 많으며(미국 기준) 각 분야에서 왕성한 주류를 이루고 있으며, 주도적으로 사회의 중심적 목소리를 내고 있다. 그리고 새로운 것에 대한 거부감이 적고 '자기애'가 아주 강하다.

이 세대와 공감하고 이끌 수 있는 감성의 리더십이 필요하다. 그렇기 위해서는 당장 낡은 고정관념을 버려야 하고 스마트하고 창의적 사고를 가져야 한다. 앞으로 더욱 세대 간 이해의 기반이 탄탄하게 조성되지 않으면 위기의 현장을 헤쳐 나가기가 쉽지 않다. 이 세대들은 소비를 이루는 주 세대이기도하다.

기성세대는 신(新) 세대 간 간극을 메우고 다양한 차이를 이해하고 인식하여 그들이 가지고 있는 창의성과 에너지를 발굴하여 한껏 발휘되도록 도와야 한다. 애플사의 창업주 스티브 잡스의 말이다.

"세상을 바꿀 수 있다고 생각한 만큼 충분히 그렇게 할 수 있다."

슬래쉬 세대 이해하기

Y세대(Generation)라 불리는 신(新) 세대는 여행 중에, 이동하면서도 일한다. 이 세대는 태어나는 순간 부모나 집안에 따라 상황이 바뀌고 엄청난 관심이 쏟아진다. 그러면서 서로가 다르다는 것을 중요시 여긴다. 이 세대의 특징은 엄격한 명령 체제를 준수하지 않는다. 권위에 순종하는 것에 매우 힘들어한다. 오직 그럴 자격이 있을 때만 가능하다. 이 세대는 팀(협력)으로 일하는 것을 매우 좋아하고 희망적이다. 그리고 긍정적이며 낙관적인 것을 좋아하며 인

터넷 휴대폰과 함께 성장한 세대다. 새로운 것에 대한 거부감이 적고 결혼이나 출산 등에 대한 관심도 적다. 그리고 역사상 가장 높은 교육을 받은 세대이다. 이 세대는 멀티태스킹(multitasking)이 가능하며 한꺼번에 여러 가지를 행하는 습관을 갖고 있다. 소유보다는 공유를 추구하는 세대이며 소유하되 독점하지 않는다.

그렇다면 이 세대의 키워드로 무엇들이 있는지를 보면, "희망적, 신뢰, IT, 빠름, 협력, 참을성 없음, 무례함, 자신만이 좋아함, 창의적, 이미지, SNS, 공감, 온라인, 쇼핑, 동성, 결혼, 외국어, 개성, 1인, 건강, 공무원, 개인 방송" 등 더 많은 키워드들이 있을 수 있다.

이 세대를 언급할 때 이들의 독특한 직업관을 빼놓을 수 없다. 이들은 일과 생활이 균형적이어야 한다. 그래서 자유로운 스케줄, 책임감, 자긍심 그리고 건강을 소중히 생각한다. 평생 같은 직장을 원하지 않는다. 좋아하는 것과 돈 버는 것을 병행하고 싶어 한다. 그래서 이들을 슬래쉬 세대(slash generation)라고 부른다. 슬래쉬(/)는 and의 뜻으로, 예를 들어 직함에 또는 명함에 '설계사/작가', '강사/CEO', '건강관리사/결혼상담사'. '보석전문가/웨딩전문가' 등 두세 개의 직업을 갖고 있는 것을 볼 수 있다. 이들은 홈테크 직업, 주 4일 근무를 누리며 일과 휴식을 분명하게 구분하는 세대이다.

아무튼 슬래쉬 세대를 갈무리하면 다음과 같다.

　이 세대는 자유와 창의를 중시하고 다양화, 개성화, 차별화를 가치 있게 여긴다. 감성을 중시할 뿐만 아니라 자신만의 전문적인 지식을 활용한 차별화를 추구한다. 그리고 합리적이고 창의적인 사고를 추구하며 앞선 세대와는 또 다른 패러다임을 만들어간다. 향후 시장과 비즈니스를 이끌 주역이다. 그들은 세계 인구의 25%를 차지하고, 인터넷으로 연결된 세상에 살기 때문에 큰 영향력을 전 세계에 행사할 수 있다.

신 (新) 세대의 흐름도

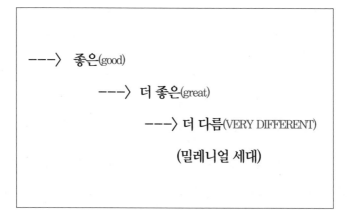

---〉 좋은(good)

　　---〉 더 좋은(great)

　　　---〉 더 다름(VERY DIFFERENT)

　　　　(밀레니얼 세대)

최고만을 추구함

끊임없는 연결 시대

너 자신을 알려면 스스로 생각하라.

_ 소크라테스

개인과 기업들은 치열한 비즈니스 현장에서 앞지르기 위해 어떤 시도를 해야 할까? 잭 웰치가 제너럴일렉트릭(GE)의 CEO일 때, 직원들에게 '기존의 사업방식을 파괴하라'는 혁신을 주문했다. 이는 다른 누군가가 따라 하기 전에 과거의 사업방식을 파괴하고 더 좋은 것으로, 더 다른 것으로 그러니까 남다른 창의적으로 대체하라는 의미다.

나는 '끊임없이', '끓어오르는' 단어를 무척 좋아해 '끊임없이 자신의 한계에 도전하고 생각하라', '끓어오르는 관심과 호기심을 갖고 열정을 발휘하라'는 말을 자주 사용한다. 가능성을 믿고 '끊임없이', '끓어오르는' 자세로 임할 때, 잠재된 능력과 창의력이 발휘되는 법이다.

지금 선택과 집중의 기지를 발휘해야 한다. 바로 의미 있는 혁신을 시도할 때이다. 남과 다르게 세상을 보고 더 창의적이고, 더 도전정신으로, 더 급진적이어야 한다.

전 세계 거의 모든 국가에 진출해 있는 코카콜라는 성공과 실패를 경험한 기업가정신이 투철한 사람을 더 많이 고용한다. 왜냐하면 이들의 투철한 사고와 태도, 그리고 행동과 용기를 사업에 접목하려고 하기 위함이다.

치열한 코피티션 시대

　기업들의 상호작용 방식이 코피티션(Coopetition, 경쟁)으로 바뀌었다. 한마디로 스마트 거래가 이루어지고 있다. 사람, 기계, 소재, 환경까지 소통하고 상호 작용한다. 그러므로 항상 새로운 마인드를 가져야 된다. 우리는 코피티션 시대에 살고 있기 때문이다.

　미국의 〈포천〉지는 50대 초우량 기업은 불철주야 혁신의 노력을 다했다고 말한다. 혁신적 활동이 커다란 성장을 가져다주었다. 그리고 함께 따라다녔던 것은 분명한 목표의식과 강력한 카리스마, 즉 확고한 리더십이었다. 혁신적 리더들에 의해 성공적인 혁신이 가능했다. 특히 부의 마인드를 갖추면 미래를 예측하게 되어 성공적인 혁신이 훨씬 더 수월하다는 것을 밝힌다.

　다음의 일련의 숫자들을 가정해보자. 〈 1,2,3,4,5,6 ？ 〉 그런데 누구나 숫자 '6' 다음의 나열이 예측 가능하다. 보나마나 그 다음에 이어지는 두 숫자는 '7과 '8'이다. 숫자는 누구나 예측 가능하며 생각하고 준비할 수 있다. 그렇다면 개인과 조직의 성장과 혁신도 예측 가능한가? 혁신과 같은 복잡한 것들도 얼마든지 준비하고 전략을 세우면 예측할 수 있다. 그래서인지 성공한 개인과 조직들은 미래사회를 예측하여 대비한다.

사실, 원하건 원하지 않건 성장하려면 또 다른 이점을 제공하는 파괴적 혁신(Disruptive Innovation)을 해야 한다. 혁신은 꼭 새로운 상품, 시장, 고객, 마케팅, 더 나은 인재만을 갖추려고 하지 않는다. 대신 기존에 보지 못했거나 미치지 못하는 것들을 시도하고 도전한다. 역사적으로 가장 수익성 있는 성장궤도는 대부분 파괴적 혁신을 통해 이루었다. 그래서 가장 영향력 있는 기업들 중 대다수는 파괴적 혁신을 함으로써 극적으로 성장했다.

우리도 준비하거나 하고 있는 일에서 파괴적 혁신의 노력이 필요한 부분이 어떤 것인지를 점검해 보자. 이미 경쟁이 치열한 코피티션 시대에는 잠시도 안주해 있을 시간이 없다.

더 점진적 혁신시대

어느 시대든 혁신가가 항상 우위(attacker advantage)를 차지한다. 요즘 고객들은 매우 까다롭다. 까다로운 고객이란 성능향상, 더 빠른 속도, 더 좋은 디자인, 더 나은 신뢰성, 감동 서비스를 주는 곳에 돈을 지불할 용의가 있는 고객을 의미한다. 그래서 100년을 성장하는 기업의 첫 번째 노력은 혁신이다.

  미국의 유기농 전문 유통업체이며 착한 기업으로 알려진 홀푸드 마켓의 창립자이자 CEO인 존 매키(John Mackey)는 "비즈니스는 이윤보다 더 깊고 숭고한 목적을 추구해야 한다"고 말했다. 즉 고객, 직원, 비즈니스 파트너의 건강과 웰빙을 증진하고 지구의 환경을 회복하고 보호함을 말하고 있다.

  다음은 더 나은 점진적 혁신으로 세상을 바꾼 기업들이다.

  • <u>구글</u>은 전 세계의 정보를 체계화하여 모든 사용자가 편리하게 이용할 수 있도록 하는 것을 목표로 한다.

  • <u>페이스북</u>은 세계 최대의 소셜 네트워크 서비스기업이다. 친구, 가족, 아는 사람들과 사진, 동영상을 공유하고 메시지를 보내며 서로의 소식을 확인할 수 있도록 해 준다.

  • <u>애플</u>은 휴대폰, 개인용 컴퓨터, 태블릿 등을 제작하고 유통하고 있는 세계적 혁신 제품들이다.

  • <u>코카콜라</u>는 세상 사람들에게 상쾌한 삶과 긍정과 행복의 순간을 선물한다.

  • <u>나이키</u>는 전 세계 모든 사람에게 영감과 혁신을 준다.

  • <u>스타벅스</u>는 영감을 통해 인간의 정신을 더욱 풍요롭게 한다.

- **월마트**는 함께 하면 모든 사람의 생활비를 낮출 수 있다.
- **아마존**은 세계 최대의 온라인 쇼핑 중개자이며 고객이 사고 싶은 모든 물건을 온라인에서 구매할 수 있도록 이 세상에서 가장 고객 중심적인 기업이다.
- **아우디**는 진정한 차를 만들어 전 세계 고객을 기쁘게 하는 기업이 되고자 한다.
- **던킨 도넛**은 가장 신선하고 가장 맛있는 커피와 도넛을 빠르고 충분히 제공하는 현대적인 기업이 되고자 한다.
- **티파니**는 세상에서 가장 존중받고 성공하는 최고급 장신구 디자이너, 제조기업, 소매업체이다.

위 기업들을 의미적으로 보면 한마디로 착한 혁신기업들이다. 혁신으로 더 나은 삶을 살도록 하겠다는 뜻을 갖고 있다. 이러한 비즈니스 목적이 고객의 마음을 사로잡았으며 기억에 오래 남게 했다. 또한 기업의 점진적 혁신은 성장할 기회를 마련해 주었다.

개인과 조직 모두 스마트한 생각을 갖고 창의적 관점을 가지면 더 나은 결과를 가져올 수 있다. 지금의 상황에 위축되거나 겁을 먹을 필요가 없다. 과거보다 미래에다 초점을 두고 새로운 시장을 개척하겠다는, 세운 뜻을 반드시 이루겠다는 탐험가의 정신으로 지금까지와는 다른 방식으로 바라본다. 기존에 이어오던 낡은 틀, 관점이 아닌 새로운 관점으로 바라보라. 바뀐 새로운 물결을 보게 될 것이다.

알베르트 아인슈타인은 "나에게 문제를 풀 수 있는 20일이 주어진다면, 19일은 문제가 무엇인지 스스로 질문하는 데 쓸 것이다"라고 말했다. 관찰자의 눈으로 보겠다는 의미이다.

특이점과 마주한 세상

뛰어난 정신력

> 당신이 자신의 최고치보다 못한 존재로 머문다면,
>
> 평생 불행할 것이다.
>
> _ 에이브러햄 매슬로

달리기와 경주의 차이를 아는가?

달리기는 체력이지만 경주는 정신력이다. 즉 정신력이 경쟁 우위를 차지해야 한다.

경쟁에서 이기려면 신체적과 정신적 능력이 차지하는 비중은 어느 것이 더 우위를 차지해야 할까? 정신과 의사이며 정신분석학의 창시자 지크문트 프로이트의 말을 빌려 전하면 정신력이 훨씬 크다고. 더 나아가 많은 질환의 요인은 정신적 요인이며 육체를 지배한다.

현대 경영학의 아버지로 불리는 피터 드러커는 부의 혁명을 이루기 위해서는 기술과 지식 혁명뿐만 아니라 기업가정신이 더 중요하다고 말했다. 따라서 기존의 오래된 부패, 낡은 관념들과 고정된 패러다임은 파괴되어야 한다. 그리고 자기혁신이 있어야 한다.

오늘날 성장하기 위해 필요한 정신은 최고의 인재들로 새로운 조직을 재창출하고 협력을 이끌어낼 뛰어난 정신력이 필요하다.

창의적 아이디어를 창출하고 기존의 것을 발전시키고 싶다면 규칙적으로 창의력을 키워주는 생각을 훈련해야 한다. 그리고 새로운 시각을 갖고 싶으면 구체적인 질문을 해야 한다. 또 관점을 바꿈으로써 새로운 인식의 틀을 가져야 한다.

5가지 혁신 원칙들

들이닥친 변화와 혁신을 두려워해서는 안 된다. 대신 신속히 스스로 낡은 것은 버리고 굳은 것은 파괴한다. 그래서 혁신만이 살아남을 수 있다. 계속되는 불황과 장기 침체기에 모바일 혁명과 유튜브 콘텐츠 홍보로 경제와 사회의 운영 방식이 근본적으로 바뀌었다. 인공지능, 무인, 빅데이터, IoT 등과 같은 기술변화는 더 크고 빠르게 패러다임의 전환을 가져왔다.

미래 경영학자 피터 드러커는 일찍이 현재의 사업을 완전히 새롭고 남다른 것으로 만듦으로써 기업의 목적과 사명을 달성하게 해줄 새로운 기회라고 하였다. 우리는 이러한 기회를 창출할 수 있는 준비를 마련해 놓았는지 스스로 물어야 한다. 피터 드러커가 전하는 5가지 혁신 원칙들이다.

첫째로, 기회분석이다. 목표 지향적이고 체계적인 혁신은 기회의 원천들을 철저히 검토하는 기회분석에서 출발한다. 이렇듯 준비된 자에게 주어지는 혁신의 기회다.

둘째는, 현장에서 고객을 만나는 것이다. 발로 뛰어 직접 만나서 보고, 질문하고, 경청하다 보면 고객 가치를 정확히 파악할 수 있을 뿐 아니라 혁신에 대한 사회의 수용도 감지할 수 있다.

다음으로 셋째는, 한 가지에만 초점을 맞추는 것이다. 흔히 선택과 집중이라고 말한다. 그렇지 않으면 혼란이 생긴다.

넷째는, 작게 시작해야 한다. 그것은 성냥갑에 똑같은 수의 성냥개비를 집어넣는 것과 같은 간단한 것일 수도 있지만, 이런 생각이 성냥갑을 자동으로 채우는 방법을 개발하도록 했다. 스웨덴은 성냥이 대표 수출 품목이다. 스웨덴 사람들은 반세기 이상 성냥에 관한 한 세계적인 독점 지위를 누리게 되었다. 스웨덴의 성냥왕으로 불리던 이바르 크루거란 CEO는 조그만 건설회사에서 시작한 그의 사업은 공격적인 투자와 혁신적인 금융기법을 통해 세계적인 성냥 독점 기업으로 성장했다.

마지막으로, 주도권을 잡는 데 목표를 두어야 한다. 혁신이 처음부터 주도권을 목표로 하지 않으면 혁신적으로 진행될 가능성도 낮고, 그 결과 혁신이 이루어지지도 않을 것이다.

특히 혁신가들은 한 분야에만 노력을 기울일 뿐 이곳저곳을 기웃거리지 않는다. 토마스 에디슨은 뛰어난 혁신가였지만, 오직 전기 분야에서만 집중하고 활동했다. 궁극적으로 혁신이란 엄청난 근면성, 참을성, 그리고 책임감이 요구되는 아주 힘든 실행이다. 무엇보다도 자신의 강점을 바탕으로 추진하는 것이 중요하다. 늘

인내가 따르지만 성공하면 자산이나 실천 영역에서 큰 보상이 따르기 때문이다.

특이점과 마주한 세상

몰입(flow)이란 어떤 일에 집중한 심리적 상태를 의미한다. 칙센트미하이는 몰입 개념을 기업 환경에 적용하여 기업과 개인의 긍정적인 성취를 이끌어낼 수 있다고 하였다. 흔히 전문가라는 말은 몰입의 능력을 의미하기도 한다. 우리는 몰입하여 내 안에 잠재된 능력을 창의적으로 발휘해야만 하는 시대에 살고 있다. 자신이 좋아하는 일에 몰입했을 때, 시공(時空)을 초월하여 진정한 자신을 만날 수 있다. 한 연구에 의하면 관리자들은 논리적 좌뇌를 주로 사용하는 반면, 기업가들은 좌뇌와 감성적 우뇌를 동시에 사용한다. 새로운 문제나 기회와 마주하면 기업가들은 먼저 문제에 집중한다.

4차 산업혁명 시대는 미래를 읽고 인터넷과 정보화를 기반으로 한 지식경영의 시대이다. 어떤 분야든 ICT를 제외하고는 고성장을 기대할 수 없다. 필히 미래사회를 읽고 트렌드를 예측하고 준비해야만 생존이 가능하다. 최근 〈더 드림〉이 청년들을 대상으로 한 여론조사에서 85퍼센트가 IT기업들이 미래사회에 가장 큰 영향력을 행사하게 될 것이라고 응답했다. 또한 미래학자 앨빈 토플러의 책을 보니 "혼란스러울 정도로 복잡하고 끊임없이 규칙이 변하는 세상에서 성공하려면 새롭게 사고하는 방법을 배워야 한다"라고 말했다.

대부분의 미래학자들은 기존의 경계는 다 무너지고 대신 예상하지 못한 세상이 생각했던 것보다 빠르게 온다고 말한다. 대표적인 미래학자 레이 커즈와일은 2045년이면 기계가 인간의 지능 수준을 초월할 것이라고 예측한다. 이 지점을 특이점(singularity)이라 부른다.

특이점이란 인류의 미래에 대한 예측이 담겨 있다. 기술의 변화 속도가 빨라지면서, 지금까지 인간이 누리던 생활이 돌이킬 수 없을 정도로 바뀌는 시점이다. 이 변화의 시점을 기술적 특이점(technological singularity)이라고 부른다.

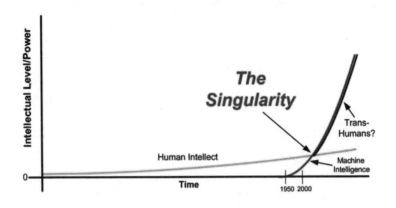

기술적 특이점

미래학자 레이 커즈와일

토머스 에디슨 이후 최고의 발명가로 손꼽히는 레이 커즈와일 (Ray Kurzweil, 1948–). 그는 인공지능 연구자이며 구글 엔지니어링 이사이기도하다. 또한 IQ 165로 지난 30년간 미래 예측에서 86퍼센트가 넘는 적중률을 보인 엄청난 미래학자이다. 작가, 컴퓨터 과학자, 발명가이기도하다. 특허 39개를 기반으로 일곱 번이나 창업하고 재산도 많이 모았다. 그런데 한 번도 남의 밑에서 일해본 적

없는 그가 왜 뒤늦게 구글의 새파란 창업자들 밑에서 '종속의 길'을 걸어야하는 임원으로 입사했을까?

그 이유를, '구글에서 사람 수준의 인공지능을 개발하기 위해서였다'고 털어놓았다. 그의 1차 목표는 '사람의 말을 100퍼센트 이해하는 컴퓨터'를 개발하는 것이다. 기술이 기하급수적으로(산술급수적이 아니라) 발전하기 때문에 2030년쯤 컴퓨터의 능력은 개별 인간을 뛰어넘고, 2045년엔 전 인류 지능의 총합마저 크게 앞질러 버린다고 예측했다. 또한 최근에는 인간의 불로장생을 예측하여 세상을 놀라게 했다. 인간의 면역체계를 대신할 나노 로봇 덕분에 긴 인생이 가능할 것으로 봤다. 즉 나노 로봇이 암세포를 없애고 동맥경화 등을 치료할 수준까지 이를 것이라는 예측이다.

결국 신의 영역인 죽음의 문제까지 연구하고 있다. 늙지 않고 병들지 않는 인간을 의미한다. 또 미래사회를 향해 레이 커즈와일은 이런 말을 하였다.

"영원히 살게 되더라도, 대다수 인간은 여전히 진보와 발전을 향해 갈 것이다."

기업가 정신

용비어천가(龍飛御天歌) 제2장 시는 조선왕조의 창업을 기리며 훈민정음으로 된 최초의 문헌이며 장편 서사시인 '용비어천가(龍飛御天歌, 총125장)'이다. 이 중에서 수작으로 손꼽히는 명문이 바로 제2장인데, '뿌리 깊은 나무'에 보면 '뿌리가 깊은 나무는 아무리 거센 바람에도 흔들리지 아니하므로 꽃이 좋고 열매를 많이 맺으며, 샘이 깊은 물은 어떠한 가뭄에도 마르지 않고 솟아나므로 시내를 이루어 바다에 도달한다'고 했다.

이처럼 개인과 조직도 뿌리 깊은 나무처럼 아래로 깊이 뿌리를 내려야 한다. 피터 드러커에 따르면 기업가정신(entrepreneursship)은 위험을 무릅쓰고 포착한 기회를 사업화하여 수익을 창출하려는 모험과 도전정신을 의미한다.

4차 산업혁명 시대 기업가정신이 미래사회를 이끌어갈 강력한 힘이다. 기업가정신을 하나의 실천(practice)이라고 말했다. 그러면서 새로운 기술을 만들어내는 것이 기업가(entrepreneur)의 존재이며 이를 혁신가로 불린다. 계속해서 피터 드러커는 '변화를 탐구하고 변화에 대응하며 변화를 기회로 이용하는 자, 새롭고 이질적인 것, 유용한 가치를 창조해내는 경영자'라고 규정했다. 또 리차드 캔틸

론은 기업가란 '모든 위험을 스스로 부담하며 물품의 유통, 교환 및 생산을 자기책임 하에서 취급하는 자'로 정의했다. 경제학자인 세이(J.B Say)는 '노동력, 자본, 토지 등 생산수단의 통합자로서 우수한 판단력, 불굴의 정신, 탁월한 계산력 등 특수한 성격과 능력의 소유자이자 감독 및 관리기술을 지닌 자'로 이해했다. 또 칼 베스퍼는 '다른 사람이 발견하지 못한 기회를 찾아내는 인간' 또는 '사회의 상식이나 권위에 사로잡히지 않고 새로운 사업을 추진할 수 있는 인간'이라고 정의했다.

이렇듯 기업가들의 특성은 천차만별이겠지만 그들에게서 분명하게 발견된 공통된 기업가 신조는 아래와 같다.

- 평범한 사람이 되는 것을 거부한다.
- 안정보다는 기회를 택한다.
- 꿈꾸는 것을 실천하고 건설하며 성공하기를 원한다.
- 보장된 삶보다는 삶에 대한 도전을 선택한다.
- 생기 없는 고요함보다 성취의 전율을 원한다.
- 어떤 위협 앞에서도 굽히지 않는다.

미국의 경제학자이며 '창조적 파괴'라는 용어를 만든 조셉 슘페터(1883-1950)에 의하면, 기업가정신이란 생산패턴을 개혁하고 혁신하는 정신이다. 즉, 새로운 기술혁신과 생산방식으로 창의적 상품을 개발하고 실천하여 새로운 시장을 개척하는 정신이라고 했다.

결론적으로 기업가정신은 기존의 잘못되거나 고착된 것을 새롭게 하기 위해서 필요한 것이다. 즉 변화에 대응하거나 수용하여 재창조하며 발전의 기회로 삼는 정신이다.

10부

앞으로 혁신과 혁명

위대한 창조적 파괴

위대한 발견

방향 잡기

> 스타 탄생의 핵심 요소는 바로 팀 동료이다.
>
> _ 농구 감독 존 우든

〈이상한 나라의 앨리스〉는 영국의 수학자이며 소설가 루이스 캘
럴의 작품이다. 이 책에 아주 멋진 대사가 등장한다. 앨리스는 갈
림길에서 만난 체셔 고양이에게 다음과 같이 묻는다.

앨리스. "여기서 어느 길로 가야 할지 알려줄래?"

고양이. "그야 어디로 가고 싶은지에 따라 달라지지."

앨리스. "어디든 괜찮아."

고양이. "그러면 아무 길이나 상관없어."

앨리스. "어디든 도착만 하면 돼."

고양이. "그럼 됐어. 오래 걷기만 하면 돼."

이 대화가 주는 교훈은 정확히 어디인지 알아야 하는 건 아니지만, 적어도 어느 쪽으로 가야 하는지 방향 정도는 알아야 한다는 의미이다. 가기 위해서는 왜? 목적의식이 필요하기 때문이다. 왜 가야하는지를 알아야 환경을 이겨낼 수 있다. 방향을 잡고 목표를 세우고 구체적으로 준비해서 앞으로 나가야 한다.

전설적인 복싱 영웅 무하마드 알리는 무명 선수 시절에 항상 자신을 "나는 최고가 될 거야!" "나는 최고야!"라고 외치고 다녔다. 훗날 KO승으로 승리 후 "내 승리의 반은 주먹이 아닌 이길 희망에 있었다"라고 말했다.

미래란 결코 이미 결정되었다거나 무엇인가에 필연적으로 종속되는 것이 아니다. 변할 수 있고 예측이 빗나갈 수 있다. 그러나 우

리는 앞에 펼쳐질 수 있는 여러 가지 대안적 미래를 구상하고 가장
바람직한 미래를 준비한다. 그리고 적합한 전략을 세워 실천해 나
아가야 한다.

이미 와 있는 4차 산업혁명 시대는 넥스트 리더십으로 준비하여
대안을 세워야 살아남는다. "어느 세대나 그 세대를 위한 새로운
혁명을 필요로 한다"라는 말은 미국의 제3대 대통령을 지낸 토마
스 제퍼슨(1743-1826)이 자신의 긴 생애를 마감할 무렵 내린 결론이
었다.

유레카(Eureka)

고대의 위대한 과학자 아르키메데스(BC 287-212)는 다음과 같이 말했다. "나에게 충분히 긴 지레와 지레를 움직일 수 있도록 받쳐 줄 땅만 있다면, 지구도 들어 올릴 수 있다." 아르키메데스가 살았던 시대에 이 말을 들었던 사람들은 그가 미쳤다고 생각했다.

아르키메데스는 기원전 3세기 무렵에 살았던 철학자이며 수학자이자 과학자이다. 원주율이 3.14라는 사실을 계산하여 처음 밝혀냈다. 그는 '부력의 원리'를 이용해 황금 왕관이 순금으로 만든 것인지 아닌지를 밝혀낸 이야기는 아직도 사람들의 입에 오르내릴 정도로 유명하다.

새로 왕위에 오른 시라쿠사의 히에론 왕은 순금으로 된 황금 왕관을 만들어 왕실의 위엄을 보여줘야겠다고 생각했다. 그래서 금 세공 기술이 뛰어난 세공사를 불러 임무를 맡겼다. 그런데 얼마 지나지 않아 이상한 소문이 돌기 시작했다. 세공사가 왕관을 만드는 데 써야 할 금을 빼돌리고 같은 무게의 은을 섞었다는 거다. 왕은 몹시 화가 났고, 아르키메데스에게 확인할 것을 주문했다.

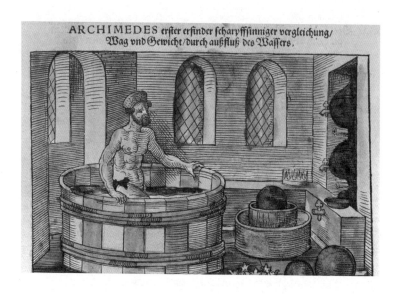

욕조 실험을 상상한 그림(출처: 구글 이미지)

아르키메데스는 이틀 동안 머리를 싸매고 고민했다. 하지만 머릿속이 텅 빈 것처럼 좋은 방법이 떠오르지 않았다. 사흘째 되는 날, 아르키메데스는 머리를 식힐 겸 목욕탕에 갔다. 그런데 뜨거운 탕에 풍덩 몸을 담그자 물이 탕 밖으로 흘러넘쳤다. 그때 아르키메데스의 머릿속에 무언가가 번뜩 스치고 지나갔다. 문제를 해결할 방법이 드디어 떠오른 것이다. 아르키메데스는 벌떡 일어나 밖으로 뛰쳐나가며 외쳤다.

"여기, 유레카! 유레카! 드디어 왕관의 비밀을 풀 방법을 알아냈다!"

'유레카(Eureka)'라는 말은 고대 그리스어로 '알아냈다' 혹은 '발견했다'라는 뜻이다. 집중할 때, 파고들 때 보이고 발견되는 것이다.

리버럴 아트

우리들은 이미 창의적 아이디어를 지식재산으로 축적하고 이를 조직과 제품, 서비스, 경제시장에 활용함으로써 가치를 창출해내고 있다. 즉 사람과 기술을 엮어내는 가치사슬 혁신의 바탕에서 융합과 창조의 진화를 거듭하며 살아가고 있다.

우리가 흔히 사용하는 단어 '창의성'은 도전의 다른 이름이다. 그래서 실패를 하더라도 유용한 경험과 지식으로 체화되어 언젠가는 성공을 위한 밑거름이 되는 것이다. 그리고 경영은 행동과 적용이며 동시에 인간 발전에 관계된 분야이다. 그래서 경영은 인문학적 경영으로 인식되기도 한다. 흔히 일반교양을 영어로 "리버럴 아트(liberal art)"라고 말한다. 여기서 '리버럴(liberal)'은 일반적으로 지식, 본질, 인식, 지혜, 리더십, 관계 등의 의미를 갖고 있다. 그리고 '아트(art)'는 교양으로서 실천과 적용의 관계가 있다. 그러므로 인문학은 창의하도록 돕는다. 그 창의는 기적을 만든다.

 이 시대는 창의성과 혁신을 가치로 새로운 성장 전략을 도모하고 있다. 그러므로 창의적인 경영방식으로 변화하여 성과를 가져오는 것이다. 그리고 창의력은 새롭고 유용한 아이디어를 의미한다. 혁신 경영의 중요한 핵심동력이다.

창조적 파괴

혁신과 혁명

가난한 사람들은 공통적인 한가지 행동 때문에 실패한다.

그들의 인생은 기다리다가 끝이 난다는 것이다.

_ 마윈

혁신은 기존 체제를 창조적으로 파괴한다.

혁신(革新)의 '혁(革)'자는 갓 벗겨낸 가죽(皮)을 무두질해 새롭게 만든 가죽(革)을 말하는 것으로서 '면모를 일신한다'는 뜻을 갖고 있다. 또 '가죽을 벗기는 아픔을 이겨내야 한다'는 의미도 동시에 내포하고 있다. 그러므로 '혁신'이란 낡은 것을 바꾸거나 고쳐서 아주 새롭게 한다. 즉 묵은 관습, 조직, 방법, 구조 등을 새롭게 바꾸는 것을 말한다. 여기서 '새로움'이라는 것은 그것을 받아들이는 사람이나 집단에게 무언가 새롭게 인식되어지는 것을 의미한다.

혁명(revolution)은 정부를 전복하는 용어로 사용할 수도 있지만, 4차 산업혁명 시대처럼 사회 경제적인 성격을 띨 수도 있다. 원래 혁명은 통치형태의 순환을 설명하는 용어였다. 18세기에 미국과 프랑스에서 혁명이 일어난 뒤, 과거의 전통적 양식에서 갑자기 벗어나는 것을 의미하기 시작했다. 유럽의 주요 혁명들은 통치형태만이 아니라 경제체제와 사회구조 및 사회의 문화적 가치에도 상당한 변화를 가져왔다. 고대 그리스시대부터 중세에 이르기까지 혁명이라는 개념은 매우 파괴적인 힘으로 간주되었다.

고대 그리스 철학자 소크라테스의 제자인 플라톤은 변함이 없고 확고한 신념체계가 혁명을 막을 수 있다고 믿었다. 철학자 아리스토텔레스는 혁명이라는 개념에 대해 자세히 설명하면서 문화의 기본 가치체계가 허약해지면 혁명이 일어나기 쉽다고 결론지었다.

독일의 철학자 이마누엘 칸트는 혁명을 인류의 진보를 위한 힘이라고. 즉 '혁명'이란 종래의 관습, 제도, 사고, 틀 등을 단번에 깨뜨리고 새로운 것을 세운다는 의미이다. 산업 분야에서 혁명은 기술의 혁신을 말한다. 산업혁명의 용어는 영국의 역사가 아널드 토인비(Arnold Joseph Toynbee, 1852–83)가 가장 먼저 사용했다.

그런데 하나의 심각한 문제를 발견했다. 문제는 비즈니스 환경이 엄청난 속도로 변하고 혁신해 가는데 반해, 개인과 기업의 변화는 그 혁신의 속도에 따라가지 못하고 있고, 아직도 무감각하여 현실에 안주하고 있다는 점이다. 또 사람들은 한 번 직장에 들어가면 그 직장에서 평생을 일할 것으로 생각하고 자기혁신에 별 관심을 두지 않으며 미래를 준비하지 않는다. 그냥 버티면 좋아질 것으로 여긴다. 이미 혁명은 와서 모든 영역을 심하게 흔들고 있는 데 말이다.

작은 날개짓

'나비효과(butterfly effect)'라는 말이 있다. 나비의 날개 짓처럼 작은 변화가 폭풍우와 같은 커다란 변화를 유발시키듯이, 어떤 일이 시작될 때 있었던 아주 작은 양의 차이가 결과에서는 매우 큰 차이를 만들 수 있다는 이론이다. 작은 변화가 예측할 수 없는 엄청난 결과를 낳는 것처럼 말이다. 예컨대, 이웃나라에서의 나비의 작은 날개짓에 의해 생긴 극히 사소한 공기 흐름의 변화가 심지어 주변 나라에까지 큰 영향을 미칠 수 있다는 것이다. 자연계에서 아주 작은 원인이 결국은 커다란 결과로 발전해 갈 수 있음을 비유적으로 나타내는 말이다.

4차 산업혁명 시대에 조직에서 리더의 역할은 커다란 효과를 가져 올 수 있다. 그러므로 리더는 작은 변화의 시도를 통해 시대적 바람직한 변화에 따라 혁신해갈 수 있도록 적절히 자극 할 수 있어야 한다. 비록 리더가 갖고 있는 힘이 단지 작은 날개짓에 불과할 정도로 작은 것이라고 할지라도 적절하게 변화에 개입한다면 엄청난 나비효과를 창출할 수 있다. 결국 위대한 혁신이란 나만의 변화를 갖는 것뿐 아니라, 그리고 주변도 변화시킨다.

비틀즈의 혁명

음악에서 비틀즈(The Beatles, 1960년 리버풀에서 결성된 영국의 록 밴드)는 현대 역사에서 대중음악의 장르를 혁명적으로 바꾸어놓은 존재로 불린다. 비틀즈가 활동했던 기간은 고작 8년이라는 짧은 시간이었지만, 당시 그들의 음악은 혁명적이었다. 비틀즈의 혁명은 '천재성'과 연결된다기보다는 1950-60년대에 급속히 개발되어진 '멀티트랙 레코딩 기술'과 연결된다.

쉽게 말해서, 비틀즈가 보여주었던 음악은 록부터 블루스, 컨트리, 사이키델릭, 클래식에 이르기까지 다양했다. 또 이 장르들이 서로 접목되고 융화되면서 비틀즈만의 개성 있는 사운드가 만들어진 것이다.

결국 비틀즈의 매력은 아름다운 선율과 철학적인 가사, 가슴을 울리는 리듬과 절묘한 화음에 있었다. 그래서 많은 사람들이 비틀즈의 성공과 인기 비결을 '혁신'과 '열정'으로 꼽는다.

이처럼 내 분야에서 혁명적인 성과를 내기 위해서는 나름 혁신적 자세와 불타는 열정이 있어야 한다. 창조적 낡은 것을 파괴하고 변화의 물결에 올라타야 한다.

인문학적 경영 철학

구글 대단해

> 당신에게 적이 있는가? 다행이다.
> 그건 당신이 신념을 지키려 애쓴다는 의미다.
>
> _ 윈스턴 처칠

기업의 장수 비결은 외형적 거대함과 강함에 있지 않다.

700년 된 스웨덴의 스토라, 400년 된 일본의 스미토모, 200년 된 미국의 듀퐁, 171년 된 영국의 필킨턴 등 현존하는 세계 장수기업의 경영사를 분석한 결과, 장수 기업들의 공통된 특징을 찾을 수 있었다. 많은 요인 중 첫 번째는, 시대적 변화하는 환경에 놀랍게 적응하는 과감한 자기변신의 노력, 즉 미래사회에 대한 민감성이었다. 그리고 두 번째는, 창의적 변화에 대한 진취적 수용 자세인 새로운 기술에 대한 관용이었다.

나의 서재에 '구글(Google)' 제목이 붙은 책만 십여 권이 넘는다. 구글 기업은 일찍이 나를 매료시켰다. 처음은 '무인 자동차'라는 단어 때문이다. 그보다 더욱 매료된 것은 구글의 두 창업주 래리 페이지와 세르게이 브린 때문이기도 하다. 젊지만 생각하는 것은 위대했고 시대의 혁명가다. 그들은 스탠포드 대학교에서 박사 논문 준비 중 떠오른 검색 알고리즘(Page Rank)을 구현한다. 그 기술을 활용해 직면한 중대한 문제를 해결하기 위해 구글을 세웠다. 또한 무인자동차를 개발하려는 이유를 분명하게 제시했다.

"지금 우리 목표는 자동차 사용을 근본적으로 혁신함으로써 교통사고 예방, 시간의 자유로운 활용, 탄소배출 감축을 꾀하는 것이다. 그리고 시각 장애우들이 자동차를 운전하도록 돕기 위함이다."

이처럼 경영 철학이 확실히 달랐다. 한마디로 글로벌 인문학적 사명으로 미래경영을 하고 있다. 이것이 구글이 성공할 수밖에 없는 이유이다.

인공지능 알파고의 힘

사실 사람이 기계에게 내줄 수 없는 영역이 하나 있다면 사람의 생각으로 두는 바둑이었다. 그런데 2016년 3월 인간이 만든 인공지능(AI, Artificial Intelligence)에 인간이 졌다. 구글이 만든 인공지능 알파고(AlphaGo)와 9단 이세돌 바둑 대국에서 빅데이터 AI가 인간의 직관을 눌렀다. 중국 바둑기사로 세계 랭킹 1위 커제(柯潔)도 2017년도 알파고에 3연패로 전패하였다. 미래 기술에 인간이 무릎을 꿇었다. 문제는 우리가 생각한 것 보다 기술혁명이 셌고 빨리 왔다. 그리고 모든 삶의 영역에 반영되었다.

기술혁명은 대단했다. 과학기술이 인문학적 생각을 하게 한다. 바둑은 생각하여 두는 경기이다. 기계인 로봇도 생각을 하는데, 우리 인간은 얼마나 진지하게 다르게 생각하고 한 수를 두고 있는가?

결론적으로 보면, 기계의 일부는 순발력과 위기 대응력이 인간보다 낫다. 따라서 우리는 신속히 이미 와 있는 4차 산업혁명의 물결에 올라타 성과를 내기 위해 능력을 갖추어야 한다.

인공지능(AI)이 인간 고유의 인지, 판단, 추론의 영역에 들어서기 시작한 사실을 부인할 수 없다. 이제 더욱 4차 산업혁명의 영역은 확대될 것이다. 의료, 서비스, 무인자동차, 원격진료, 금융투자, 전자출판, 보안, 교육, 상담 등 모든 분야에서 빠른 연구개발이 이루어지고 있다. 우리의 삶을 크게 변화시킬 것이다. 기술혁명은 쉼없이 날마다 발전하기 때문이다.

우리는 알파고와 바둑 대국을 통해 사람이 과학기술에도 질 수 있다는 것을 배웠다. 인간은 강한 것 같지만 연약한 존재로서 끊임없이 자기계발을 위한 노력을 해야 하는 존재이다. 기술 혁명을 준비하고 인문학적 사고와 창의적 관점만이 과학기술과 멀어지지 않게 하는 한 방법이기도 하다. 철저히 미래를 냉철히 내다보고 4차 산업혁명을 어떻게 통제하고 활용할지에 대한 진지하고 심도 있는 논의와 전략이 필요하다.

확고한 경영철학

　세계 사람들로부터 가장 큰 주목을 받고 있는 사람 중에 한 사람이 무일푼에서 시작해 세계 최대의 전자상거래 업체를 일궈낸 알리바바의 창업자 마윈이 아닐까 생각한다. 그는 중국 사람들 중에 가장 빠르게 큰 부자 기업을 이루었다. 그가 항저우의 평범한 영어교사였던 시절 50만 위안(약 8천5백만 원)으로 전자상거래 알리바바닷컴을 창업했고 14년 만에 170조의 매출을 기록하는 세계 최대 온라인 기업으로 만들었다.

　마윈이 말하기를 "가난보다 무서운 것은 꿈이 없는 삶이다. 꿈이 있다면 누가 비웃거나 비난을 해도 신경 쓰지 않고 묵묵히 앞으로 나갈 수 있기 때문이다."

　힘겨운 오늘을 살아가는 모든 젊은 사람들에게 도움이 될 마윈의 핵심 철학 8가지는 다음과 같다.

　1. 세상을 바꾸려 하지 말고 자기 자신을 바꿔라.

　2. 너무 많은 목표는 하나도 없는 것과 같다.

　3. 세상은 불공평하다는 것을 인정하고 시작하라.

　4. 내일은 더 나쁠 거라고 생각하고 준비하라.

5. 가치 있는 시간을 보내라.

6. 가장 큰 실패는 포기하는 것이다.

7. 굴욕을 이겨내야 성공이 보인다.

8. 어려워서 못하는 것이 아니라 못 해서 어려운 것이다.

자동차 왕 헨리 포드도 말하기를 "문제를 지적만 하지 말고 개선할 방안도 함께 찾아야 한다." 성공을 원한다면 그에 상응하는 대가를 지불해야 한다. 미국의 오페라 가수 비벌리 쉴즈는 이런 말을 했다.

"갈 만한 곳에는 지름길이 없다."

나의 직업 5년 후

미래의 직업

> 2030년에는 현재 있는 직업의 47%가 사라질 것이다.
>
> _ 미 스탠퍼드대 토니 세바 교수

나의 직업 5년 후, 내 직장은 사라지지 않고 그대로 남아있을까, 내 직업은 괜찮을까?

미래에는 어떤 직업이 부와 명성을 얻을 것인가는 모든 사람의 관심사항이다. 다니엘 핑크는 〈새로운 미래가 온다(한국경제신문)〉에서 미래를 이렇게 예측했다. 과거에는 특정 형태의 부류(MBA출신, 변호사, 의사, 프로그래머, 자산 상담가)가 우대 받는 사회였다. 그러나 미래의 직업으로는 디자인, 스토리, 놀이, 공감, 의미, 조화, 상상 등 가슴으로 생각하는 사람들이 주도하게 될 것이다. 이를테면 예술가, 발명가, 디자이너, 스토리텔러, 작가, IT전문가 등이 풍요한 사회의 즐거움과 보상을 누릴 것이다.

미래의 시장 기회를 보면, 모든 사람과 사물이 연결되는 초연결 사회로서 빅 데이터, 인공지능, 무인화, 인터넷금융, 바이오 혁명, 신생에너지 등이 미래의 키워드이다. 많은 사람들이 인생에서 실패하고 후회하는 이유로 미래를 읽지 못해 자기 강점을 모르거나 자신의 강점에 집중하지 않았기 때문이다. 미래사회의 직업은 자신의 강점을 활용할 때 성과를 낼 수 있다. 즐겁게 잘하는 것에 초집중해야 한다.

5년 후, 내 직업은 어떻게 될까? 나의 회사는 안전할까?

빅 픽처(Big Picture) 세상

트래비스 캘러닉 CEO는 "아마도 역사상 최초가 아닐까 싶은데,

드디어 일에 삶을 맞추는 게 아니라 삶에 일을 맞추는 시대가 도래했습니다"라고 말했다. 미래사회는 역사상 유례가 없을 만큼 폭넓은 기회를 누릴 수 있는 세상이다. 그래서 빅 픽처(Big Picture)는 보통 '큰 그림을 그린다'는 의미이다. 즉 다가올 미래사회를 읽어내어 대비하고 준비하는 것이다. IT분야뿐 아니라 전 영역에서 공통적으로 도출된 핵심 이슈이다. 곧 인간이 기술에 본격적으로 의존하는 시대를 의미한다. 미래를 자신의 것으로 만들기 위해 세상을 내다보는 큰 그림, 즉 '빅 픽처'를 그려나가야 할 이유이다.

4차 산업혁명이라는 새로운 물결이 들어오면서 가장 먼저 디지털과 무인화가 진행되었고 콘텐츠 사업(유튜브, SNS)이 활성화되었다. 산업구조가 재편되어 통상적이고 틀에 박힌 일을 하는 자리는 감소하고 모든 분야에서 새로운 IT분야 일자리가 창출되고 있다.

유엔 미래보고서는 2045년에 인공지능(AI)이 인간지능을 넘어서는 특이점에 도달한다고 밝혔다. 미래에 자신의 직업에 가장 영향을 줄 요인은 인공지능과 빅 데이터, 무인, 사물인터넷 등이 될 것이라고 하였다. 특히 우리의 삶 대부분의 영역에서 로봇 관련 분야와 인공지능 분야가 밀접하게 관계할 것이다. 디자인과 SW개발 관련 직종도 인기를 누리게 되며 미래 경제의 핵심 키워드는 '인터넷'과 '공유'이다. 그리고 SNS와 유튜브 활용이다.

테슬라를 위시해 구글, 애플 등이 무인자동차, 전기차, 수소차도 출시하였다. 일본에선 로봇택시라는 기업이 무인택시를 상용화하였다. 심지어 채용 면접에도 인공지능(AI) 로봇이 등장했다. 중국에선 무인버스가 시험 운행에 성공했고, 메르세데스 벤츠는 무인트럭도 선보였다. 가정에서도 무인화 환경의 기기들이 이미 생활에 참여하고 있다.

우리의 사회는 점점 무인화 되어 갈 것이다. 인터넷과 공유사회로 발전하게 된다.

누구나 금융 환율 읽기

자본주의 사회에서 부자가 되려면 날마다 금융의 날을 세워야 한다. 한 나라가 자국 통화의 대외가치, 즉 환율과 금리를 대상으로 치르는 전쟁에서 이겨내는 일은 경제적 명운을 좌우할 정도로 중요하다. 과거 경제성장은 노동, 자본, 기술, 자원 등과 같은 생산요소들의 증가가 경제를 성장시킨다고 배웠다. 그렇지만 이런 이론적 접근에는 근본적인 한계가 있다.

가격의 변동을 결정하는 것은 수요와 공급의 상호작용이다. 수요가 더 많이 늘면 가격은 오르고, 공급이 더 많이 늘면 가격은 내린다. 이것은 만고의 진리였다. 그러나 앞으로 경제시장은 이것만으로는 가격의 변동을 읽어낼 수 없다. 수요와 공급의 추가적 고찰이 필요하다. 또 세계경제의 패권을 쥐었던 나라들은 예외 없이 환율 정책을 읽었다. 주식과 펀드 부자들은 모두 돈과 환율의 흐름을 읽어냈다.

우리나라는 내수자원이 없어 수출을 늘려 먹고 살아가야 하는 나라다. 그래야 성장률을 높일 수 있다. 그렇기 위해서는 수출을 끌어올려야 한다. 2018년 5월 기준 한국 수출 증가율이 세계 1위에서 8위로 내려앉았다.

환율이 오르면 자원을 거의 모두 수입에 의존하고 있는 한국은 수입 가격이 오른 원자재를 수입하기 때문에 당연히 국내 물가 역시 급등한다. 그리고 기업의 경영 지수는 악화되고 시장경기는 하강한다. 이익이 줄면 기업은 생산도 줄이고 고용도 줄이며, 고용이 줄면 소득이 줄어서 소비가 줄어드는 등의 악순환이 계속되는 것이다. 따라서 환율상승이 결정적으로 물가를 상승시키는 것이다. 소비자의 구매력이 위축되었고 결국, 경기는 하강으로 돌아서게 된다.

외채를 갚으려면 금융기관과 기업은 금융시장에서 돈을 회수해야 하고, 돈을 회수하면 대출이 줄어들고, 대출이 줄어들면 시중의 돈이 줄어들고, 시중의 돈이 줄어들면 예금도 줄어드는 상황이 반복된다. 그 결과 시중에는 돈이 바짝 마르게 되고, 이에 따라 투자와 거래가 크게 줄어들면서 경기는 급강하한다.

성장과 쇠퇴의 신호

미국 경제학자 찰스 킨들버거 교수(1910-2003, 메사추세츠공과대학(MIT)는 1930년 세계 대공황의 원인을 공공재(公共財)의 부재로 보았다. 그의 저서 〈경제강대국 흥망사 1500-1990〉에서 '사람에게 생명주기가 있듯이 국가에도 생명주기가 있지 않을까?'라는 물음을 던진다. 즉 한 나라의 경제적 생명주기는 사람의 일생주기처럼 탄생, 성장, 쇠퇴, 죽음의 단계를 가질 것으로 가정하고, 어떤 요인이 성장을 자극하고, 어떤 요인이 쇠퇴의 신호가 되는가를 탐색하려는 것이었다.

킨들버거 교수는 1500년부터 1990년까지 세계 경제를 주도한 리더인 선도국가들을 연구하여 열거했다(베네치아-피렌체-제노바-밀라

노-포르투갈-스페인-네덜란드-브뤼헤-안트베르펜-홀란드-프랑스-영국-독일-미국-일본). 그리고는 흥망성쇠와 요인을 연구하여 성장의 공통점으로는 '우리는 남다르다'는 젊은 자부심을 갖고 과감히 도전했기 때문이라고 했다.

국가의 생명력 쇠퇴의 외부 요인으로 크게는 전쟁과 충격, 그리고 과잉 팽창을 들어 설명했다. 인간이 노화하는 내부적 원인으로 여러 증상이 있듯이 국가 생명력이 쇠퇴하는 내부적 원인으로 위험 회피, 소비 증가, 저축 감소, 혁신 감소, 과세 저항, 부채 증가, 투기 거품, 도박, 부패, 변화의 거부, 갈등 등 같은 증상으로 나타난다는 것이다.

일의 미래, 프리랜서 직업

직업의 종말,
풀타임 일자리가 사라지고 있다.

_ 미래 직업

세계적 경제전문지 이코노미스트(The Economist)는 2027년까지 미국 인력의 50% 이상이 프리랜서로 참여할 것이라고 밝혔다. 또 10년 안에 전 세계 인구의 절반이 프리랜서의 형태로 경제 활동을 하게 될 것이라 전망했다. 현재 세계 젊은이들의 42%가 프리랜서이다. 즉 풀타임 직장이 없는 시대가 도래했다. 이미 아침 9시부터 6시까지 얽매여서 일하는 직업은 사라지고 있다. 전통적인 근로가 아닌 긱 경제(gig economy: 프리랜서, 시간제, 독립계약자)라는 새로운 직업이 확대되고 있다. 경제잡지인 포브스 역시 프리랜서 수가 매년 빠르게 증가하고 있으며 이는 경제의 미래를 밝게 될 것으로 보고 있다. 긱 경제는 고용주를 선택하고 바꿀 수도 있으며 여러 비즈니스를 동시에 일할 수 있다. 이러한 긱 경제가 빠르게 성장할 수 있었던 것은 기술의 진보와 디지털 유목민으로서 원격으로 일할 수 있는 IT환경 덕분이다.

누구나 미래직업 초예측이 가능하다. 디지털 경제가 가져온 일하는 방식 때문이다. 당연 기술의 진화로 AI, IoT, 무인 시스템, 로봇, ICT 환경이 사람을 대신하고 있다. 밀레니엄 세대(출생 1980-2000)의 26%가 미국의 프리랜서로 일하고 있다. 이는 풀타임 일자리로 많은 소득보다 라이프 스타일(의미 있는 삶)을 우선시한다. 노동보다 더 행복하고 더 건강하게 생활할 수 있는 프리랜서를 선택한다. 그래서인지 시장에서 물건을 사고팔듯이 노동을 사고파는 것이 일반화되었다.

최근 청소년 희망 직종 1위가 인터넷 방송진행자(VJ), 유튜브 크리에이터였다. 우리 생활에서 경제 활동을 하는 사람들의 대부분은 '긱 워커(Gig Worker 임시직)'이다. 앞으로 긱 경제는 노동 시장에 일대 혁명을 일으킬 것으로 보인다. 미국에서 우버, 에어비앤비, 메커니컬터크 같은 긱 경제가 탄력을 받자 실리콘밸리는 그로 인해 노동 시장이 바뀔 것이라고 확신한다. 한국도 아마존 플렉스(일반인 배송기사), 우버이츠(음식 배달), 배민라이더(배달의 민족 배송기사), 카카오 대리(일반인 대리운전), 인터넷은행, 원격 처리 등 긱 경제 시스템으로 큰돈을 벌고 있다. 일본에서는 이미 긱 경제 활동이 일반화되었고 비정규직(알바) 비율이 40%를 넘어섰다.

앞으로 좋든 싫든 긱 경제의 증가는 불가피하다. 긱 경제 시대는 자신의 역량을 갖춘 사람들에게는 돈을 벌 수 있는 절호의 기회이다. 따라서 고도의 전문성이나 스킬을 보유해야 출퇴근이 자유롭고 눈치를 볼 사람도 없고 행복한 여가를 누리며 긱 경제생활을 누릴 수 있다. 긱 경제는 노동의 미래에 일어날 사례가 아닌 현실의 생생한 사례로서 매우 중요한 역할을 할 것이다.

출퇴근이 없는 자유로운 긱 경제생활
(이미지 출처 : https://www.smallbizgenius.net/wp-content/uploads)

취업이냐 창업이냐가 아닌 프리랜서 근무
(이미지 출처 : https://miro.medium.com/max/1000/1*pcPgeev_
DFsDTY1V7PUw8Q.jpeg)

어디에서나 일하는 프리랜서 시대
(이미지 출처 : https://www.bookmark.com/blog/wp-content/uploads/2019/02/
adult-alone-bar-1308625.jpg)

끝까지 희망을 품으라

끝까지 당신을 응원한다.

그래서 계속 새로운 것에 시도하고 도전하여 마치 독수리가 비상하여 먹이를 낚아채듯, 한 단계 더 높은 수준으로 오르도록 돕는 것이다. 변하여 자라고 성장할 수 있도록 끝까지 응원할 것이다.

이 책을 만들기까지 많은 기업가와 만남을 가졌고 다양한 분야의 연구와 독서를 하였다. 꼭 일독을 권한다. 시간이 없다면 대충 훑어보기라도 부탁한다. 특히 이 책은 21세기를 떠맡을 젊은이들과 지도자들이 많이 읽기를 바란다. CEO는 필수로 읽어야 한다.

모든 것은 변화하기 위하여 존재하는 것이다.

당신의 미래, 이 책에서 길을 찾게 될 것이다.

감사하다. 이 책이 나오기까지 많은 분들의 격려가 있었다. 그들에게 참으로 감사와 존경의 마음을 보내 드리고 싶다. 그리고 100인 인문학스피치 학습포럼 회원들에게도 감사드리는 바이다. 그들이 있어서 비로소 오늘의 내가 있을 수 있었다.

이 책은 부(富)의 혁명이 어떻게 진행되어 왔는가를, 특별히 혁신을 통한 부의 마인드를 깨달을 수 있도록 구성되었다. 더불어 미래의 직업과 사회를 이해하고 준비하는데 큰 도움이 될 것이다.

부디 많은 독자들이 새로운 창조와 기적으로 이어질 것을 의심하지 않는다. 끊임없는 노력과 새로운 시도와 뜨거운 도전이 불안한 미래를 밝은 미래로, 더불어 선물로 얻는 행운이 있기를 진심으로 바란다.

개인과 젊은이들, 조직들에게 위대한 행운이 있기를 바란다.
감사합니다.

참고문헌 및 출처

부의 미래, 청림출판, 앨빈 토플러, 김중웅 역

미래경영, 청림출판, 피터드러커, 이재규 역

호모 데우스 미래의 역사, 김영사, 유발 하라리, 김명주 역

21세기를 위한 21가지 제안, 김영사, 유발 하라리, 전병근 역

사피엔스, 김영사, 유발 하라리, 조현욱 역

초예측, 웅진, 유발 하라리 외, 정현욱 역

오리지널스, 한국경제신문, 애덤 그랜트, 홍지수 역

콘트래리언, 진성북스, 이신영,

온워드, 하워드 슐츠, &O, 조앤 고든, 안진환, 장세현 역

포커스, 리더스북, 대니얼 골먼, 박세연 역

몰입의 경영, 민음인, 미하이 칙센트미하이, 심현식 역

기업가정신, 한국경제신문, 피터드러커, 이재규 역

경영의 미래, 세종서적, 게리 해멀, 신희철 김종식 역

머니, 다산북스, 롭 무어, 이진원 역

미래의 공동체, 21세기북스, 피터 드러커, 이재규 역

성공하려면 액션러닝하라, 행성, 봉현철

왜 일본 제국은 실패하였는가?, 주영사, 노나카 이쿠지로 외, 박철현 역

창조의 CEO 세종, 휴먼비즈니스, 전경일

한국사회를 바꿀 5대 기술 키워드, 과학기술정책 연구원, 홍성주

녹색성장과 기술융합, 고즈원, 임기철

전후 일본의 과학기술, 한림신서, 나카야마 시게루, 오동훈 역

경영혁명, 한림신서, 오네쿠라 세이이치로, 양기호 역

지구온난화를 생각한다, 우자와 히로후미, 김준호 역

유태인의 상술, 범우, 후지다 덴, 진웅기 역

한국의 미래, 과학기술혁신체제에서 길을 찾다, 삼성경제연구소, 임기철

내 인생을 바꾸는 모멘텀, 작은 씨앗, 박재희

왕의 경영, 다산초당, 김준태

알 왈리드, 김영사, 리즈 칸, 최규선 역

파워풀, 한국경제신문, 패티 맥코드, 허란 추가영 역

결국 이기는 힘, 21세기북스, 이지훈

1위의 패러다임, 북스넛, 노나카 이쿠지로 외, 남상진 역

일본전산 이야기, 쌤앤파커스, 김성호

원씽, 비즈니스북스, 게리 켈러 외, 구세희 역

그릿, 비즈니스북스, 앤절라 더크워스, 김미정 역

드라이브, 청림출판, 다니엘 핑크, 김주환 역

혁신의 시간, 알에이치코리아, 김영배 외

드러커의 마케팅 인사이트, 중앙경제평론사, 윌리엄 코헨, 이수형 역

위험한 미래, 한스미디어, 김영익

넛지, 리더스북, 리처드 탈러, 안진환 역

트리거, 다산북스, 마셜 골드스미스, 김준수 역

경제강대국 흥망사, 까치, 찰스 P. 킨들버거, 주경철 역

마케팅 천재가 된 맥스, 취즈덤하우스, 제프 콕스, 김영한 역

마인드버그, 추수밭, 앤서니 G. 그린월드, 박인균 역

하이테크 하이터치, 한국경제신문, 존 나이스비트

메가트렌드 아시아, 한국경제신문, 존 나이스비트

초격차, 쌤앤파커스, 권오현,

모든 비즈니스는 브랜딩이다, 쌤앤파커스, 홍성태

4차 산업혁명, 다산북스, 롤랜드버거, 김정희 역

직장이 없는 시대가 온다, 더 퀘스트, 새라 케슬러, 김고명 역

피터의 원리, 21세기북스, 로렌스 피터, 나은영 역

적자사장 흑자사장, 해피맵북스, 조병선

앞으로 5년 미중전쟁 시나리오, 지식노마드, 최윤식

알려지지 않은 역사, 알에이치코리아, 윌리엄 글라이스턴, 황정일 역

앞으로 5년 결정적 미래, 비즈니스북스, 머니투데이 취재팀

환율전쟁, 도서출판 새빛, 최용식

장사의 원점, 큰 나, 스즈키 도시후미, 이석우 역

장사의 창조, 큰 나, 스즈키 도시후미, 이석우 역

행동하라 부자가 되리라, 도전과 성취, 나폴레온 힐, 성필원 역

제4차 산업혁명 더 넥스트, 새로운 현재, 클라우스 슈밥, 김민주 이엽 역

넥스트 리더십3.0, 글로세움, 브래드 카쉬, 이영진 역

고전경영, 글로세움, 정보철

히든 챔피언, 흐름출판, 헤르만 지몬, 이미옥 역

신뢰의 속도, 김영사, 스티븐 M.R코비, 김경섭 정병창 역

선대인의 빅픽처, 웅진 지식하우스, 선대인

스타벅스 경험 마케팅, 유엑스 리뷰, 조셉 미첼리, 범어디자인연구소

GE의 핵심인재는 어떻게 단련되는가, 스마트 비즈니스, 심재우

사람은 사람이 전부다, 중앙경제평론사, 마쓰시타 고노스케, 이수형 역

불타는 투혼, 한국경제신문, 이나모리 가즈오, 양준호 역

나노기술이 미래를 바꾼다, 김영사, 이인식 외

특이점이 온다, 김영사, 레이 커즈와일

미래혁명, 일송포켓북, 박정훈 외4

일과 인생에 불가능은 없다, 청림출판, 마쓰시타 고노스케, 김정환 역

무엇을 당신을 만드는가, 위즈덤하우스, 이재규

경영의 모험, 쌤앤파커스, 존 브룩스, 빌 게이츠, 이충호 역

지금 중요한 것은 무엇인가, 알키, 게리 해멀, 방영호 역

1등의 통찰, 다산, 히라이 다카시, 이선희 역

위대한 기업은 다 어디로 갔을까, 김영사, 짐 콜린스, 김명철 역

변화혁신의 확산요인 및 시사점: 이론과 사례를 중심으로 〈한국행정학보〉,

천대윤

이기려면 함께 가라, 흐름출판, 데이비드 노박, 고영태 역

마케팅 불변의 법칙, 비즈니스맵, 알 리스, 잭 트라우트 이수정 역

피터 드러커에게 인생 경영 수업을 받다, 국제제자훈련원, 밥 버포드,

최요한 역

 투자의 미래, 트러스트북스, 김장섭

그림 속 경제학, 이다미디어, 문소영

미술을 알아야 산다, 미메시스, 정장진

나의 관찰자는 나다, 미래북, 임종대

경제협력기구(OECD) 보고서

http://www.compareyourcountry.org/social-indicators?lg=en

국제노동기구 인력 정보

https://www.ilo.org/global/lang--en/index.htm

세계지식재산권기구

https://www.wipo.int/portal/en/index.html

국제에너지기구

https://www.iea.org/

유엔환경계획

https://www.unenvironment.org/

세계은행

http://www.worldbank.org/

세계경제포럼

https://www.weforum.org/

국제연합

http://www.un.org/

마케팅 실천학

그림 속 경제학

미래 경영학

창의적 리더십

4차 산업혁명

미래의 직업

'부자 마인드 수업' 중

…강의 중

jbt6921@hanmail.net

010.5347.3390